LA PIÉTÉ ENVERS LES PARENTS

Ibn Al-Jawzi

ISBN : 978-1-952608-18-6
www.muslimlife.fr
contact@muslimlife.fr

Votre livre gratuit

Pour vous remercier de votre achat, nous souhaitons vous offrir une copie gratuite en version PDF de notre livre :

« La Guérison des Âmes »

Accédez à la page ci-dessous pour l'obtenir :
https://www.muslimlife.fr/guerison-des-ames-offert/

Bonne lecture !

L'équipe de MuslimLife.

Table des matières

Biographie de l'auteur

Al-Hafidh Abu Al-Faraj 'Abd Al-Rahman ibn al-Jawzi

Son nom et sa généalogie

Il est Abu Al-Faraj Jamal Al-Din 'Abd Al-Rahman ibn 'Ali ibn Muhammad ibn 'Ali ibn 'Ubayd Allah ibn Al-Jawzi Al-Qurashi Al-Tamimi Al-Bakri de la famille de Muhammad ibn Abu Bakr Al-Siddiq, Al-Baghdadi Al-Hanbali.[1]

Sa naissance et sa jeunesse

Il est né en 509 ou 510 A.H. À l'adolescence, sa tante le reprit d'Ibn Nasir, auprès duquel il avait beaucoup appris. L'amour du prêche s'imprégna en lui alors qu'il avait à peine atteint l'âge de la puberté. De là, il commença à donner des sermons.

Son père mourut alors qu'il avait 3 ans. Sa tante prit alors soin de lui. Sa famille proche était composée de marchands de cuivre. C'est pourquoi, à l'époque où il prenait le hadith, il lui arrivait d'écrire son nom en tant que 'Abd Al-Rahman ibn 'Ali Al-Saffar [le chaudronnier].

Il prit le hadith pour la première fois en 556 A.H., de la part de Al-Dhahabi.

---

1 Al-Bidayah wa Al-Nihayah, 13/26.

Il fut reconnu, dès son plus jeune âge, comme étant quelqu'un de pieux qui n'avait pas pour habitude de fréquenter les gens ni de manger une nourriture dont la source était douteuse.

Il ne quittait sa maison que pour prier et ne jouait jamais avec ceux de son âge. Il était doté d'une grande détermination et d'une haute ambition. Il passa toute sa vie dans la recherche du savoir, le prêche et l'écriture.[1]

Ses enseignants

Al-Hafidh Ibn Al-Jawzi a présenté beaucoup de ses enseignants dans son livre *Mashyakhat Ibn Al-Jawzi* (Les savants qui ont enseigné à Ibn Al-Jawzi). Dans le domaine du hadith, nous pouvons citer Ibn Nasir. Pour ce qui est du Coran et du comportement, citons Sibt Al-Khiyat et Ibn Al-Jawaliqi. Il fut également le dernier à rapporter de Al-Dinawari et Al-Mutawakkili[2].

Ses élèves

Parmi ses élèves nous pouvons citer son fils et compagnon, le grand savant Muhyi Al-Din Yusuf, qui fut enseignant à l'institut Al-Musta'sim Billah, son fils 'Ali Al-Nasikh, son petit-fils, Shams Al-Din Yusuf ibn Farghali Al-Hanafi, auteur du livre Miroir du Temps, Al-Hafiz 'Abd Al-Ghani, le shaykh Muwaffaq Al-Din Ibn Qudama, Ibn Al-Dubaythi, Ibn Al-Najjar et Al-Diya.[3]

---

1   Al-Bidayah wa Al-Nihayah, 13/29
2   Siyar Al-A'lam An-Nubala, 21/366
3   Siyar Al-A'lam Al-Nubala, 21/367

Ses enfants

Son petit-fils Abu Al-Muzfir ainsi que la majorité de ses biographes ont stipulé qu'il eut 3 enfants :

- L'ainé Abu Bakr 'Abd Al-'Aziz : il fut juriste et pris la science de Abu Al-Waqt, Ibn Nasir, Al-Armawi ainsi que de certains parmi ceux qui ont enseigné à son père. Il voyagea jusqu'à la ville d'Al-Musul où il prêcha et tint des sermons auxquels les habitants adhérèrent. On rapporte que la famille d'Al-Zahrazuri fut jaloux de lui. Ils achetèrent alors un poison et le versèrent dans sa boisson. Cela fut la cause de sa mort en 554 A.H., alors que son père était encore en vie.

- Abu Al-Qasim Badr Al-Din 'Ali Al-Nasikh.

- Abu Muhammad Yusuf Muhyi Al-Din. Il fut le plus brillant de ses fils mais aussi le plus jeune. Il naquit en 580 A.H. Il s'investit dans le prêche et tint des sermons à la suite de son père, pour lesquels il fut reconnu par ses confrères. Il fut ensuite désigné pour contrôler et superviser les marchés de Baghdad. Puis, on lui confia la mission de délivrer les messages des califes à destination des rois de différentes régions, en particulier dans le Shâm où résidait la famille Ayyubi. Il assura le poste d'enseignant à l'institut du calife Al-Musta'sim en 640 A.H. En 656 A.H., Hulaku l'assassina et occupa Baghdad avant de la détruire. Ses 3 fils, Jamal Al-Din, Sharaf Al-Din et Taj Al-Din furent tués avec lui. Il rédigea de nombreux ouvrages tels que *Ma'adin Al-Abriz fi Tafsir Al-Kitab Al-'Aziz* et *Al-Madhab Al-Ahmad fi Madhab Ahmad*. Contrairement à son frère Abu Al-Qasim, il fut un fils respectueux qui honora son père et le traita d'une excellente manière.

Son petit-fils mentionne qu'Ibn Al-Jawzi eut plusieurs filles : Rabi'a, Sharaf Al-Nisa', Zainab, Jauhara, Sitt Al-'Ula ma Al-Sughra et Sitt Al-'Ulama Al-Kubra.

Un prêcheur exceptionnel

Les mots d'Al-Hafidh Al-Dhahabi le décrivent à merveille : « Il fut le meilleur dans le rappel et n'avait aucun équivalent. Il pouvait spontanément réciter de plaisants vers poétiques ou verser dans la prose éloquente. Il exprimait une abondance de mots avec finesse et fluidité. Il n'y eut personne tel que lui, ni avant, ni après lui. Il est le porteur du drapeau de l'exhortation sous toutes ses formes. Il était de belle apparence et avait une voix agréable. Ses mots possédaient la capacité de toucher les cœurs des gens. Sa façon de vivre de manière générale était magnifique. ».[1]

Il a également dit : « Je pense qu'il n'y aura plus jamais quelqu'un comme lui. »[2].

Al-Hafidh Ibn Rajab a tenu les propos suivants à son sujet : « Nous pouvons donc conclure que ses prêches étaient uniques en leur genre et que personne n'a jamais entendu quelque chose de pareil. Ses assemblées réveillaient l'insouciant, enseignaient à l'ignorant, amenaient le pêcheur à se repentir et le polythéiste à embrasser l'Islam. ».[3]

Ses travaux et leur étendue

Shaykh Al-Islam Ibn Taymiyyah a dit dans *Al-Ajwiba Al-Misriyyah* : « Shaykh Abu Al-Faraj a excellé dans un grand nombre de sciences et possède plusieurs écrits à son actif. Il écrivit sur de nombreux sujets. J'ai compté ses travaux et j'en ai dénombré plus de mille. Plus tard, je me rendis compte

1 Siyar Al-A'lam An-Nubala, 21/367
2 Siyar Al-A'lam Al-Nubala, 21/384
3 Thail Tabaqat Al-Hanabila, 1/410

qu'il en existait encore que je n'avais pas découvert. ».[1]

Après avoir mentionné quelques-uns de ses ouvrages, Al-Dhahabi dit : « Je ne connais aucun savant qui a écrit autant que cet homme. ».

Le vertueux professeur 'Abd Al-Hamid Al-'Aluji a écrit un livre sur ses travaux qui a été édité à Baghdad en 1965. Cette œuvre présente des recherches sur les ouvrages d'Ibn Al-Jawzi, et les classe par ordre alphabétique. Il s'agit d'une excellente référence pour quiconque souhaite en savoir plus sur ses travaux.

Voici quelques-uns de ses livres :

- *Talqih Fuhum Ahli Al-Athar fi Mukhtasari Al-Siyari wal Akhbar.*[2]
- *Al-Athkiya' wa Akhbarahum.*[3]
- *Manaqib 'Umar ibn 'Abdul 'Aziz.*[4]
- *Rawhu Al-Arwah.*[5]
- *Shudhur Al-'Uqud fi Tarikh Al-Uhud.*[6]
- *Zad Al-Masir fi 'Ilm al-Tafsir.*[7]
- *Al-Dhahab Al-Masbuk fi Siyaril Muluk.*[8]
- *Al-Hamqa wal Mughaffalin.*[9]
- *Al-Wafa fi Fada'ili Al-Mustafa.*[10]
- *Manaqib 'Umar ibn Al-Khattab.*[11]

---

1   Thail Tabaqat Al-Hanabila, 1/415
2   Ce livre mentionne des récits concernant le Prophète (paix sur lui) et ses compagnons.
3   Un ouvrage qui rapporte des récits au sujet d'intellectuels.
4   Il s'agit d'un livre qui détaille les vertus du calife 'Umar ibn 'Abdul 'Aziz.
5   Un livre expliquant les concepts de l'âme et de la spiritualité.
6   Version résumée du célèbre livre d'histoire Tarikh Al-Muluk wal Umam.
7   Ouvrage expliquant la science du Tafsir.
8   Un livre parlant des dirigeants et des rois à travers l'histoire.
9   Un ouvrage dans lequel il parle des sots et des idiots.
10   Livre relatant les vertus du Prophète (paix sur lui).
11   Ce livre traite des qualités de 'Umar Ibn Al-Khattab.

- *Manaqib Ahmad Ibn Hanbal.*[1]
- *Gharib Al-Hadith.*[2]

Sa mort

Ibn Al-Jawzi mourut le vendredi 12 du mois de Ramadan 597 A.H. Il fut enterré près de la tombe de l'imam Ahmad ibn Hanbal, au cimetière Bab Harb.

---

1   Livre relatant les vertus de l'imam Ahmad Ibn Hanbal.
2   Livre traitant de l'un des aspects majeurs de la science du hadith.

Préface

Au Nom d'Allah, le Tout-Miséricordieux, le Très-Miséricordieux.

Toutes les louanges appartiennent à Allah qui a ordonné le bon traitement des parents et a interdit de leur désobéir. Que Ses bénédictions et sa paix soient sur notre maître Muhammad, le véridique et l'agréé, et sur toute sa famille et ceux qui le suivront le Jour où les droits seront exigés.

J'ai constaté qu'une partie de la jeunesse de notre époque n'accorde aucune attention au bon comportement envers les parents. Ces jeunes considèrent qu'il ne s'agit pas d'une partie vitale de notre religion. Ils haussent la voix devant leurs pères et leurs mères, comme s'ils jugeaient que leur obéir n'était pas une obligation.

Ils coupent les liens de parenté qu'Allah a ordonné de préserver dans le Coran et pour lesquels Il a émis de sévères menaces contre le fait de les rompre.

Ils abandonnent parfois même leurs proches et protestent contre eux. Ils refusent d'aider les pauvres parmi eux grâce aux biens dont ils ont été gratifiés. C'est comme s'ils ne croyaient aucunement en la récompense de l'aumône !

Ils ne prêtent aucune attention à l'accomplissement de bonnes œuvres, comme si celles-ci n'avaient aucun poids ni dans la Législation (Shari'ah) ni en matière de bon sens.

Tous ces principes sont pourtant soutenus par la raison

et la Législation a grandement détaillé les récompenses et les châtiments en rapport avec eux.

J'ai donc ressenti le besoin de compiler un ouvrage traitant de ces obligations afin que l'insouciant prenne garde. Je l'ai organisé en sections et chapitres ; et Allah est Celui qui guide vers la vérité.

Chapitre 1 : Bien se comporter avec les parents et maintenir les liens de parenté sont des attitudes logiques

Personne n'ignore les droits d'une personne qui lui fait une faveur. Or, après Allah Tout-Puissant, nul n'a fait de plus grande faveur à un être humain que ses parents.

Sa mère a enduré de grandes difficultés en le portant. Elle a extrêmement souffert au moment d'accoucher. Elle a fait tout son possible pour l'élever et a passé ses nuits à veiller sur lui, ignorant ses propres désirs et souhaits. Elle lui a donné préférence à elle-même à chaque instant.

Son père, en plus d'être la cause de son existence, lui a également donné amour et compassion. Il l'a élevé en travaillant dur et en dépensant pour lui.

Ainsi, la personne logique connaît le droit de celui qui lui fait une faveur et essaie de la lui rendre. Ne pas reconnaître le droit de celui qui nous fait une faveur fait partie des pires défauts, surtout si celui qui la reçoit nie ce droit et qu'il y répond par le mal.

Celui qui est bienveillant envers ses parents doit savoir que, peu importe le bien qu'il leur fera, il ne pourra jamais leur rendre totalement ce qu'ils lui ont attribué.

1) Zu'rah Ibn Ibrahim rapporte qu'un homme interrogea 'Umar Ibn Al-Khattab (qu'Allah l'agréé) :

« Ma mère est très âgée et elle ne peut satisfaire ses besoins qu'en étant sur mon dos. Je vais même jusqu'à la laver en détournant mon regard. Ai-je rempli ses droits ? »

Il répondit : « Non. »

L'homme dit alors : « Ne l'ai-je pas porté sur mon dos et ne me suis-je pas mis à son service ? ».

'Umar répondit : « Elle a fait la même chose pour toi en souhaitant que tu vives, alors que tu le fais en souhaitant sa mort. ».

2) 'Umar vit un homme porter sa mère tel un sac sur son dos tout en accomplissant la circumambulation (tawaf) autour de la Ka'bah. Cet homme récitait ces vers :

« Je porte ma mère qui fut le pilier qui m'abreuva de lait et d'autres douceurs. ».

Voyant cela, 'Umar dit : « Pouvoir avoir ma mère aujourd'hui et agir comme tu l'as fait m'est préférable aux chameaux rouges. ».

3) Un homme dit à 'Abdullah Ibn 'Umar (qu'Allah les agrée) :

« J'ai porté ma mère sur mon dos tout le long du chemin depuis le Khorasan jusqu'à ce qu'elle accomplisse les rites du Hajj. Penses-tu que je me suis acquitté de ses droits ? »

Il répondit :

« Non, pas même une contraction ! »

La proximité familiale peut être assimilée à la proximité des parents avec un enfant. On ne doit donc pas être négligent vis-à-vis de ce type de droits.

Chapitre 2 : Ce qu'Allah a ordonné au sujet du bon traitement des parents et de l'entretien des liens familiaux

Allah a dit (traduction relative des versets) :

« **Et ton Seigneur a décrété : «N'adorez que Lui ; et (marquez) de la bonté envers les père et mère : si l'un d'eux ou tous deux doivent atteindre la vieillesse auprès de toi ; alors ne leur dis point : «Fi !» et ne les brusque pas, mais adresse-leur des paroles respectueuses et par miséricorde abaisse pour eux l'aile de l'humilité; et dis : «Ô mon Seigneur, fais-leur; à tous deux; miséricorde comme ils m'ont élevé tout petit» »**[1]

Abu Bakr Ibn Al-Anbari a dit :

« Ce décret n'est pas un jugement, mais un ordre et une obligation. Le sens linguistique original de « qada » est : « accomplir une chose à la perfection » ».

« **Et (marquez) de la bonté envers les père et mère** » signifie se montrer bienveillant envers eux et les honorer.

Ibn 'Abbas (qu'Allah l'agrée) a dit :

« Ne dépoussière pas tes vêtements devant eux afin d'être sûr qu'aucune poussière ne les atteigne ».

« **Ne leur dis point : «Fi !»** (« Uff ») »

Il existe cinq opinions concernant le mot « Uff » :

- La saleté des ongles de la main, comme énoncé par Al-Khalil
- La saleté des oreilles, comme énoncé par Al-Asma'i
- La coupure des ongles, comme énoncé par Tha'lab
- Considérer une chose avec mépris ou comme étant négligeable, cela étant tiré du sens arabe du mot « uff » qui signifie « rabaisser ». Cela a été mentionné par Ibn Al-Anbari.
- Un bâton ou un roseau que tu ramasses du sol, comme énoncé par Ibn Faris.

J'ai appris de mon enseignant Abu Mansur, le linguiste, que le sens de « Uff » est « puanteur » et qu'il provient à l'origine du fait de souffler sur de la poussière ou autre chose qui tombe sur toi. Il fut ensuite utilisé pour désigner tout ce qui est considéré comme négligeable.

« **Ne les brusque pas** » signifie « ne t'adresse pas à eux de manière désagréable ou n'élève pas la voix sur eux ».

Selon 'Ata Ibn Abi Rabah, cela signifie « Ne lève pas ta main sur eux ».

« **Adresse-leur des paroles respectueuses** » signifie que tu dois t'adresser à eux du mieux que tu peux et avec douceur.

Sa'd Ibn Al-Musayyib a dit : « De la même manière que l'esclave dévoyé s'adresse à son maître sévère. ».

« **Abaisse pour eux l'aile de l'humilité** » en raison de la compassion et de la miséricorde que tu éprouves envers eux.

Les droits des parents sont clairement explicités dans le verset du Coran :

« **Sois reconnaissant envers Moi, ainsi qu'envers tes parents.** »[1]

dans lequel Allah a réuni le fait d'être reconnaissant envers Lui avec le fait d'être reconnaissant envers les parents.

---

1   Sourate 31 : Luqman, verset 14

Chapitre 3 : Ce que la Sounnah a ordonné au sujet du bon traitement des parents

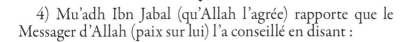

4) Mu'adh Ibn Jabal (qu'Allah l'agrée) rapporte que le Messager d'Allah (paix sur lui) l'a conseillé en disant :

« Ne désobéis pas à tes parents, même s'ils te disent de quitter ta famille et tes biens. ».[1]

5) Ahmad a dit : « Yahya m'a rapporté d'Ibn Abi Dhi'b, qui a rapporté de son oncle maternel, Al-Harith, qui a rapporté de Damurah qui a rapporté que 'Abdullah Ibn 'Umar (qu'Allah l'agrée) a dit :

« J'étais marié à une femme que 'Umar n'aimait pas. Il me demanda de la divorcer, ce que je refusai. 'Umar alla voir le Prophète (paix sur lui) et il (le Prophète) me dit : « Obéis à ton père ! ». ».[2]

6) 'Ubadah Ibn Samit (qu'Allah l'agrée) rapporte que le Messager d'Allah (paix sur lui) a dit :

« Ne désobéissez pas à vos parents. S'ils vous demandent de tout quitter, alors faites-le ! »[3]

7) Jabir (qu'Allah l'agrée) rapporte que le Messager d'Allah (paix sur lui) a dit : **« Soyez bons envers vos pères et vos**

---

1   *Irwa Al-Ghalil*. Al-Albani a jugé dignes de confiance tous les rapporteurs de la chaîne de transmission.

2   Rapporté par Abu Dawud, Al-Tirmidhi, Al-Nasa'i et d'autres. Jugé authentique par Ahmad Shakir.

3   *Majmu' Al-Zawa'id*. Al-Haythami a dit que la condition de Salamah Ibn Shurayh n'est pas connue, alors que le reste des rapporteurs de la chaîne sont dignes de confiance.

fils seront bons envers vous ! »[1]

8) Zayd Ibn 'Ali Ibn Husayn (qu'Allah l'agréé) a dit à son fils Yahya :

« Allah le Très-Haut et le Béni ne fut pas satisfait de la manière dont tu m'aurais traité alors Il t'a conseillé de me respecter, mais Il fut satisfait de la manière dont je t'aurais traité alors Il ne m'a pas conseillé de te montrer du respect. »[2]

---

1 *Lisan Al-Mizan*. Al-Daraqutni affirme que ce récit n'est ni confirmé ni prouvé par Abu Zubayr et par Malik.

2 Al-'Ijluni l'a mentionné dans *Kashf Al-Khafa'*.

22

Chapitre 4 : Donner préférence au bon traitement des parents par rapport au Jihad et à Al-Hijrah

9) 'Abdullah Ibn 'Amr (qu'Allah l'agréé) rapporte qu'un homme demanda au Prophète (paix sur lui) la permission de sortir accomplir le jihad. Le Prophète (paix sur lui) lui demanda :

« Tes parents sont-ils en vie ? »

L'homme répondit : « Oui. »

Le Prophète (paix sur lui) dit alors : « Ton jihad est auprès d'eux. »[1]

10) 'Abdullah Ibn 'Amr (qu'Allah l'agréé) rapporte qu'un homme vint prêter allégeance au Prophète (paix sur lui) et dit :

« Je suis venu pour te prêter allégeance pour l'émigration et j'ai laissé mes parents en pleurs derrière moi. »

Le Prophète (paix sur lui) répondit :

« Retourne auprès d'eux et fais les sourire tout comme tu les as fait pleurer. »[2]

---

[1] Rapporté par Al-Boukhari

[2] Rapporté par Abu Dawud, Al-Nasa'i, Ahmad et d'autres. Jugé authentique par Ahmad Shakir et Al-Albani.

11) Abu Sa'id Al-Khudri (qu'Allah l'agréé) rapporte qu'un homme du Yémen émigra vers le Prophète (paix sur lui) et le Prophète lui demanda :

« **Tes parents sont-ils au Yémen ?** »

L'homme répondit :

« **Oui.** »

Le Prophète demanda :

« **T'ont-ils donné la permission de venir ?** »

L'homme répondit :

« **Non.** »

Le Prophète (paix sur lui) lui dit alors :

« **Retourne vers tes parents et demande-leur la permission. S'ils te la donnent alors tu peux venir. Dans le cas contraire, sers-les et sois bon envers eux.** »[1]

12) Ibn 'Abbas (qu'Allah l'agréé) rapporte qu'une femme fut réunie avec son fils qui voulait accomplir le jihad, mais elle l'en empêcha. Le Prophète (paix sur lui) dit :

« **Demeure auprès d'elle et tu obtiendras la même récompense que ce que tu souhaitais accomplir.** »[2]

---

1   Rapporté par Abu Dawud. Voir également Ibn Hajar dans *Fath Al-Bari*.

2   Rapporté par Al-Tabarani dans *Mu'jam Al-Kabir*. Al-Haythami a dit dans son *Majmu' Al-Zawa'id* que le chaîne de transmission contient Rushdin Ibn Kharib qui est considéré comme très faible.

13) 'Abdullah Ibn 'Amr (qu'Allah l'agréé) rapporte qu'un homme demanda au Prophète (paix sur lui) la permission de sortir accomplir le jihad. Le Prophète l'interrogea :

« L'un de tes parents est-il toujours vivant ? »

L'homme répondit :

« Oui, ma mère. »

Le Prophète (paix sur lui) lui dit :

« Retourne la servir et sois bon envers elle. »

L'homme repartit et dénoua sa selle.

Le Prophète (paix sur lui) dit ensuite :

« La satisfaction du Seigneur repose dans la satisfaction des parents. »

C'est ainsi que le hadith a été rapporté.[1]

---

1   Rapporté par Al-Bayhaqi dans *Shu'ab Al-Iman* et par d'autres. Il a été également rapporté de 'Abdullah Ibn 'Amr (qu'Allah l'agréé) que le Prophète (paix sur lui) a dit : **« La satisfaction du Seigneur réside dans la satisfaction du père et la colère du Seigneur réside dans la colère du père. »**. Rapporté par Al-Tirmidhi et jugé bon par Al-Albani.

Chapitre 5 : Le bon traitement des parents est l'action la plus aimée d'Allah

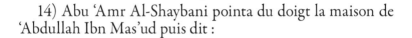

14) Abu 'Amr Al-Shaybani pointa du doigt la maison de 'Abdullah Ibn Mas'ud puis dit :

« Le propriétaire de cette maison nous a rapporté qu'il avait interrogé le Messager d'Allah (paix sur lui) au sujet de l'action la plus aimée d'Allah. Le Prophète (paix sur lui) lui a répondu :

« **La prière à l'heure.** »

Il demanda ensuite quelle était la suivante et le Prophète (paix sur lui) dit :

« **La piété envers les parents.** »

Il demanda ensuite quelle était la suivante et le Prophète répondit :

« **Lutter dans le sentier d'Allah.** »[1]

---

1   Rapporté par Al-Boukhari & Muslim

Chapitre 6 : Se montrer bon envers les parents allonge la vie

―――――◆―――――

15) Sahl Ibn Mu'adh rapporte de son père que le Messager d'Allah (paix sur lui) a dit :

« Bonne annonce à celui qui est bon envers ses parents et qu'Allah allonge sa vie. »[1]

16) Abu Sa'id Al-Khudri (qu'Allah l'agrée) et Abu Hurayrah (qu'Allah l'agrée) rapportent que le Prophète (paix sur lui) a dit :

« Ô fils d'Adam ! Sois bon envers tes parents et maintiens les liens de parenté. Tes affaires seront facilitées et ta vie sera allongée. Obéis à ton Seigneur et tu seras nommé comme étant intelligent. Ne Lui désobéis pas ou tu seras nommé comme étant ignorant. »[2]

17) Salman Al-Farissi (qu'Allah l'agrée) rapporte que le Prophète (paix sur lui) a dit :

« Rien n'allonge plus la vie que se montrer bon envers ses parents. ».[3]

Thawban a également rapporté le même récit.

―――――――

1   Rapporté par Al-Hakim dans *Al-Mustadrak*, Al-Tabarani dans *Mu'jam Al-Kabir* et d'autres. Ibn Hajar Al-Asqalani a dit dans *Ithaf Al-Muhrah* que la chaîne de transmission contenait Zaban Ibn Fa'id considéré comme faible.

2   Ibn Al-Jawzi, *Al-Birr wa Al-Silah*. Ibn Hajar le juge fabriqué dans son *Al-Mutalib Al-Aliyyah*.

3   Rapporté par Ibn Majah, Ahmad et d'autres. Jugé bon par Al-Albani.

18) Anas Ibn Malik (qu'Allah l'agrée) rapporte que le Messager d'Allah (paix sur lui) a dit :

« **Que celui qui souhaite qu'Allah allonge sa vie et augmente sa subsistance soit bon avec ses parents et maintienne les liens de parenté.** »[1]

---

1   Rapporté par Ahmad, Ibn Abi Dunya et d'autres. Jugé « hasan li ghayrihi » par Al-Al-bani.

Chapitre 7 : Comment être bon envers ses parents ?

La piété envers les parents s'accomplit en obéissant à tout ce qu'ils demandent de toi et te disent de faire, tant qu'il ne s'agit pas d'une chose interdite.

Leurs demandes doivent passer avant la prière non obligatoire.

Éloigne-toi de ce qu'ils t'interdisent. Dépense pour eux. Recherche les choses qu'ils aiment. Sers-les excessivement. Montre du respect envers eux et honore-les. N'élève pas la voix et ne les fixe pas du regard. Ne les appelle pas par leurs noms. Marche derrière eux. Sois patient au sujet de leurs actes qui te sont désagréables.

19) 'Abdullah Ibn Qawid a dit :

« J'ai entendu Talq Ibn 'Ali dire que le Messager d'Allah (paix sur lui) a dit :

« Si j'étais en présence de mes deux parents ou de l'un d'eux et qu'ils m'avaient appelé après que j'ai débuté ma prière en récitant la sourate de l'ouverture en disant « Ô Muhammad », j'aurais répondu : « Me voici ! ». » »[1].

20) Abu Ghassan Al-Dhabbi rapporte qu'il sortit un jour pour marcher dans les environs de Médine. Son père

---

1   Rapporté par Al-Bayhaqi dans *Shu'ab Al-Iman*. Jugé faible par Al-Bayhaqi à cause de la présence de Yasin Ibn Mu'adh dans la chaîne de transmission. Ibn Al-Jawzi l'a inclus dans sa liste de ahadith fabriqués *Al-Mawdu'at*.

marchait derrière lui. Il rencontra Abu Hurayrah (qu'Allah l'agrée) qui lui demanda :

« Qui est cette personne qui marche derrière toi ? »

Il répondit :

« Mon père. »

Abu Hurayrah dit :

« Tu as mal agi et as contredit la Sounnah. Ne marche pas devant ton père ! Marche derrière lui ou à sa droite ! Ne laisse personne venir entre toi et lui. Ne prends aucun morceau de viande sur lequel ton père a posé le regard, car peut-être qu'il l'a désiré. Ne fixe pas ton père du regard. Ne t'assieds pas avant qu'il ne s'asseye et ne dors pas avant qu'il ne s'endorme. »

21) On rapporte qu'Abu Hurayrah (qu'Allah l'agrée) vit deux hommes et demanda à l'un d'eux :

« Qui est-il pour toi ? »

L'homme répondit :

« Il est mon père. »

Abu Hurayrah dit alors : « Ne l'appelle pas par son nom. Ne marche pas devant lui et ne t'assieds pas avant qu'il ne s'asseye. »[1]

22) Taylah rapporte qu'il dit à Ibn 'Umar (qu'Allah l'agrée) :

---

1   *Sahih Adab Al-Mufrad*

« Ma mère est avec moi. »

Ibn 'Umar dit :

« Par Allah, si tu lui parles gentiment et que tu la nourris, tu entreras certainement au Paradis tant que tu t'abstiendras des péchés majeurs. »[1]

23) Hisham Ibn 'Urwah rapporte de son père au sujet du verset :

« Et par miséricorde ; abaisse pour eux l'aile de l'humilité »[2]

qu'il a dit : « Ne t'abstiens de rien de ce qu'ils aiment. »[3]

24) Lorsque Al-Hasan fut interrogé au sujet de la piété envers les parents, il répondit :

« C'est que tu leur donnes tout ce que tu possèdes et que tu leur obéisses tant qu'il ne s'agit pas d'un péché. »[4]

25) On rapporte que 'Umar (qu'Allah l'agrée) a dit :

« Faire pleurer tes parents équivaut à de la désobéissance envers eux. »[5]

26) Salam Ibn Miskin rapporte qu'il interrogea Al-Hasan :

« Un homme doit-il commander le bien à ses parents et

---

1   *Sahih Adab Al-Mufrad*
2   Sourate Le Voyage Nocturne, verset 24
3   Ibn Abi Dunya, *Makarim Al-Akhlaq*. Hamad Ibn Al-Sarri, *Al-Zuhd*. *Tafsir Al-Tabari*
4   Al-Musannaf 'Abd Al-Razzaq. 'Abdullah Ibn Mubarak, *Al-Birr wa Al-Silah*
5   *Sahih Adab Al-Mufrad*

leur interdire le mal ? »

Al-Hasan répondit :

« S'ils l'acceptent, oui. Si cela leur est désagréable alors laisse-les. »

27) Al-'Awam rapporte qu'il interrogea Mujahid :

« Le muezzin appelle à la prière alors que le messager de mon père m'appelle. (Que dois-je faire ?) »

Mujahid répondit :

« Réponds à ton père ! »

28) Ibn Al-Munkadir a dit :

« Si votre père vous appelle alors que vous êtes en train de prier, répondez-lui. »[1]

29) 'Abd Al-Samad rapporte qu'il a entendu Wahb dire :

« Il est mentionné dans le Gospel que le sommet du bon comportement envers les parents consiste à leur donner tous les biens que tu possèdes et à les nourrir avec ce que tu as. »

30) 'Abdullah Ibn 'Awn a dit : « Prendre soin de tes parents est un acte d'adoration. »[2]

---

1   Ibn Rajab, *Fath Al-Bari Sharh Sahih Al-Boukhari*. Il a jugé ce récit « mursal ».
2   Al-Daylami. Jugé « mawdu' » (fabriqué) par Al-Albani.

Chapitre 8 : Donner préférence à la mère

31) Abu Hurayrah (qu'Allah l'agrée) rapporte qu'un homme demanda :

« Ô Messager d'Allah ! Quel est celui qui mérite le plus que je lui tienne compagnie ? »

Il dit : « Ta mère. »

« Et qui encore ? »

Il dit : « Ta mère. »

Il dit : « Et qui encore ? »

Il dit : « Ta mère. »

Il dit : « Et qui encore ? »

Il dit : « Ton père. »[1]

32) Miqdam Ibn Ma'dyikarbin (qu'Allah l'agrée), rapporte que le Prophète (paix sur lui) a dit :

« Allah vous appelle à être bons envers vos mères. Allah vous appelle à être bons envers vos mères. Allah vous appelle à être bons envers vos mères. Allah vous appelle à être bons envers vos plus proches puis envers les plus proches après eux. »[2]

---

1   Rapporté par Al-Boukhari et Muslim
2   Rapporté par Al-Boukhari dans *Al-Adab Al-Mufrad*. Jugé authentique par Al-Albani.

33) Khaddash Ibn Salamah rapporte que le Prophète (paix sur lui) a dit :

« J'invite l'homme à être bon envers sa mère. J'invite l'homme à être bon envers sa mère. J'invite l'homme à être bon envers sa mère. J'invite l'homme à être bon envers son père. Je l'invite à être bon envers chacun de ses proches. »[1]

34) Al-Awza'i rapporte que Makhul a dit :

« Si votre mère vous appelle alors que vous priez, répondez-lui. Si c'est votre père qui vous appelle, ne répondez pas avant d'avoir terminé. »[2]

35) Anas (qu'Allah l'agrée) rapporte que le Messager d'Allah (paix sur lui) a dit :

« Le Paradis se trouve sous les pieds des mères. »[3]

36) Abu 'Abd Al-Rahman Al-Sulami rapporte qu'un homme vint vers Abu Al-Darda et dit :

« Mon épouse est la fille de 'Umar et je l'aime, mais ma mère me demande de la divorcer. »

Abu Al-Darda répondit :

« Je ne peux ni te dire de la divorcer, ni te dire de désobéir à ta mère. Cependant, je peux te raconter un hadith que j'ai entendu du Messager d'Allah (paix sur lui) qui a dit :

---

1 Rapporté par Al-Tabarani. Jugé faible par Al-Albani.
2 Rapporté par Ibn Abi Shaybah et Al-Bayhaqi.
3 Rapporté par Shihab dans son *Musnad*, Daylami dans *Al-Firdaws* et d'autres

« La mère est la porte la plus directe vers le Paradis. Vous pouvez donc la préserver si vous le souhaitez ou la délaisser. » »[1]

37) Jahimah Al-Sulami (qu'Allah l'agrée) rapporte qu'il demanda au Prophète (paix sur lui) la permission de sortir accomplir le jihad. Le Prophète (paix sur lui) lui demanda :

« As-tu une mère ? »

Il répondit :

« Oui »

Le Prophète dit alors :

« Prends soin d'elle, car le Paradis repose à ses pieds. »[2]

38) Ibn 'Abbas (qu'Allah l'agréé) rapporte que le Prophète (paix sur lui) a dit :

« Quiconque embrasse les yeux de sa mère, cela sera pour lui une protection contre le Feu. »[3]

39) Anas (qu'Allah l'agréé) rapporte qu'un homme demanda au Prophète (paix sur lui) :

« Je souhaite sortir accomplir le jihad, mais j'en suis incapable. »

Le Prophète (paix sur lui) l'interrogea :

---

1   Rapporté par Al-Tirmidhi. Jugé authentique par Al-Albani.
2   Rapporté par Al-Nasa'i. Jugé « hasan sahih » par Al-Albani.
3   Rapporté par Al-Bayhaqi. Jugé « mawdu' » (inventé) par al-Albani.

« Un de tes parents est-il encore en vie ? »

Il dit :

« Ma mère. »

Le Prophète (paix sur lui) dit :

« Alors, prouve à Allah que tu es excusé en étant bon envers elle. Si tu agis ainsi et que ta mère est heureuse, alors tu es comme celui qui accomplit le Hajj, la ʿUmrah et le Jihad. Rappelle-toi d'Allah et fais preuve de piété envers elle. »[1]

40) Ibn ʿAbbas (qu'Allah l'agrée) rapporte que le Prophète (paix sur lui) a dit :

« Si un homme prend soin de sa mère une fois avec miséricorde, il recevra la récompense d'un Hajj accepté. »

On lui demanda :

« Ô Messager d'Allah, même s'il prend soin d'elle cent fois par jour ? »

Il répondit :

« Même s'il prend soin d'elle cent fois par jour. Allah Tout-Puissant est encore plus généreux que cela et pur. »[2]

41) Ibn ʿAbbas (qu'Allah l'agrée) rapporte également qu'un homme vint à lui et lui dit :

---

1   Rapporté par Al-Tabarani. Jugé faible par Al-Albani.
2   Rapporté par Al-Bayhaqi. Jugé inventé par Al-Albani.

« J'ai demandé la main d'une femme, mais elle a refusé. Ensuite, un autre lui a demandé sa main et elle fut encline à accepter. J'ai éprouvé de la jalousie et je l'ai tué. Le repentir est-il possible pour moi ? »

Ibn 'Abbas lui demanda :

« Ta mère est-elle en vie ? »

L'homme dit :

« Non. »

Il lui dit alors :

« Repens-toi à Allah et rapproche-toi de Lui autant que tu le peux. »

On demanda ensuite à Ibn 'Abbas (qu'Allah l'agrée) :

« Pourquoi lui as-tu demandé si sa mère était en vie ? »

Il répondit :

« Je ne connais aucun acte qui rapproche le plus d'Allah Tout-Puissant que faire preuve de piété envers sa mère. »[1]

42) Abu Nawfal rapporte qu'un homme vint voir 'Umar (qu'Allah l'agrée) et dit :

« J'ai tué quelqu'un. »

'Umar répondit :

---

1   *Al-Adab Al-Mufrad*. Authentifié par Al-Albani.

« Malheur à toi ! Était-ce volontaire ou par erreur ? »

L'homme dit :

« Par erreur. »

'Umar demanda :

« L'un de tes parents est-il en vie ? »

L'homme répondit :

« Oui. »

'Umar demanda ensuite :

« Ta mère ? »

L'homme dit :

« Mon père. »

'Umar dit :

« Va et fais preuve de piété envers lui. »

Lorsque l'homme partit, 'Umar dit :

« Par Celui qui détient mon âme dans Sa main, si sa mère était en vie et qu'il avait été pieux envers elle, j'aurais eu espoir que le Feu ne le touche jamais. »

43) Ibn 'Abbas (qu'Allah l'agrée) rapporte qu'alors qu'un homme puisait de l'eau de son bassin, un cavalier assoiffé approcha et demanda la permission de boire de l'eau et d'en

donner à sa bête.

L'homme attacha son chameau et s'avança vers l'eau. Lorsque la bête vit l'eau, elle s'en approcha et l'enterra.

L'homme se leva, prit une épée et frappa le cavalier avec jusqu'à le tuer.

Plus tard, il partit interroger les gens (sur le repentir). Il rencontra des Compagnons du Messager d'Allah (paix sur lui) et les interrogea, mais aucun d'eux ne lui donna d'espoir.

Finalement, il arriva à l'un d'entre eux[1] qui lui demanda :

« Peux-tu le ramener à la vie dans l'état où il était ? »

L'homme répondit :

« Non. »

Il demanda à nouveau :

« Peux-tu trouver un tunnel dans la terre ou un escalier vers les cieux ? »

L'homme répondit :

« Non ».

Il demanda :

« Peux-tu vivre éternellement sans jamais mourir ? »

---

1   C'est-à-dire Ibn 'Abbas (qu'Allah l'agréé)

L'homme se leva et commença à s'en aller, éconduit.

Il lui demanda alors :

« As-tu des parents ? »

L'homme dit :

« Ma mère est en vie. »

Il lui dit :

« Prends soin d'elle et fais preuve de piété envers elle. S'il est entré au Feu, alors Allah éloigne quiconque Il éloigne. »

44) Il est rapporté qu'Al-Hasan a dit :

« La mère a reçu les deux tiers du respect et le père un tiers. »[1]

45) Ya'qub Al-'Ajli rapporte qu'il a dit à 'Ata :

« Ma mère m'empêche d'aller à la prière en groupe lors d'une nuit pluvieuse. »

Il répondit :

« Obéis-lui ! »

46) 'Ata rapporte que la mère d'un homme fit le serment qu'il n'accomplirait que les prières obligatoires et qu'il ne jeûnerait que durant le mois de Ramadan. 'Ata dit :

---

1   Rapporté par Al-Bayhaqi.

« Il doit lui obéir. »

47) Al-Hasan fut interrogé à propos d'un homme dont le père avait fait un serment pour une chose et dont la mère avait fait un serment pour la chose contraire. Il dit :

« Il doit obéir à sa mère. »

48) Rifa'a Ibn Iyas a dit :

« J'ai vu Haris Al-'Akli pleurer aux funérailles de sa mère. »

Quelqu'un le remarqua et dit :

« Serais-tu en train de pleurer ? »

Il répondit :

« Pourquoi ne pleurerais-je pas alors qu'une des portes du Paradis vient de se fermer ? »

49) Rifa'a Ibn Iyas rapporte que lorsque la mère de Iyas Ibn Mu'awiyah mourut, il pleura. Quelqu'un s'en aperçut et dit :

« Serais-tu en train de pleurer ? »

Il répondit :

« Ô mon Seigneur, conseille-moi ! »

Il dit ensuite :

« Je te conseille de bien traiter ta mère, car elle t'a porté de faiblesse en faiblesse. »

Il demanda :

« Et qui ensuite ? »

Il répondit :

« Ta mère. »

Il demanda à nouveau :

« Puis qui ? »

Il répondit :

« Ta mère puis ton père. »

50) Hisham Ibn Hasan rapporte :

« J'ai dit à Al-Hasan :

« J'apprenais le Coran alors que ma mère m'attendait pour souper. »

Al-Hasan répondit :

« Souper avec ta mère et la satisfaire est plus cher à mes yeux qu'un Hajj volontaire que tu accomplirais. » »

51) Hassan Ibn 'Amr rapporte qu'il a entendu Bishr Ibn Al-Harith dire :

« Un enfant qui reste assez près de sa mère pour qu'elle puisse être entendue est meilleur que celui qui se bat de son épée dans le sentier d'Allah Tout-Puissant ; et prendre soin d'elle est meilleur que tout autre chose. »

52) Abu Hazim rapporte que 'Umarah a dit qu'il a entendu son père dire :

« Malheur à toi ! Ne sais-tu pas que veiller sur ta mère est un acte d'adoration ? Alors qu'en est-il de faire preuve de piété envers elle ? »

Chapitre 9 : Comment un enfant peut-il s'acquitter de sa dette envers ses parents ?

───────────◆───────────

53) Abu Hurayrah rapporte que le Prophète (paix sur lui) a dit :

« Un enfant ne peut s'acquitter de sa dette envers ses parents que s'il les trouve en esclaves et qu'il les affranchit. »[1]

Il a été établi que lorsqu'un enfant achète son père, celui-ci devient libre par l'achat en lui-même et doit verbaliser l'émancipation. C'est l'avis de tous les savants en dehors de Dawud (Al-Dhahiri).

Par conséquent, le hadith possède deux significations.

La première est que la liberté lui est attribuée, car elle est établie par l'achat en lui-même.

La seconde est plus subtile. Elle concernerait le principe selon lequel s'acquitter de la dette envers le père n'est pas concevable, car une situation dans laquelle un fils libèrerait son père est inconcevable. Donc, le père deviendrait libre par l'achat en lui-même. Cela serait alors similaire au verset du Coran :

« Ils n'entreront au Paradis que lorsque le chameau pénètrera dans le chas de l'aiguille. »[2]

───────────

1   Rapporté par Muslim
2   Sourate 7 : Al-A'raf, verset 40

Chapitre 10 : La récompense de la bonté envers les parents

◆

54) 'Abdullah ibn 'Umar ibn al-Khattâb (qu'Allah les agrée lui et son père), a rapporté que le Prophète (paix sur lui) a dit :

« Alors que trois hommes voyageaient, ils furent surpris par la pluie et sur réfugièrent dans la grotte d'une montagne. Un rocher dégringola de la montagne et boucha l'entrée de la grotte.

Ils dirent alors :

« Rien ne pourra nous sauver de ce rocher si ce n'est le fait d'invoquer Allah, exalté soit-Il, en évoquant vos bonnes actions passées ».

L'un d'eux dit alors : « Ô Allah ! J'avais deux parents très âgés et des enfants en bas âge pour lesquels je travaillais en tant que berger. Lorsque je revenais vers eux la nuit, j'avais pour habitude de commencer par donner le lait à mes parents avant d'en donner à mes enfants.

Un jour j'ai mené paître mes animaux dans un endroit éloigné, si bien que mes parents se sont endormis avant mon retour. J'ai trait pour eux leur part de lait, mais je les ai trouvés endormis. Il m'a cependant répugné de les réveiller ou de donner à boire du lait à mes enfants avant eux.

J'ai donc patienté, tenant le bol dans ma main au-dessus de leur tête, attendant ainsi leur réveil jusqu'à la pointe du jour, alors que mes enfants criaient de faim à mes pieds. Ils se réveillèrent enfin et burent leur lait.

Ô Allah ! Si Tu juges que je fis cela en vue de Ta Face, libère-nous de ce rocher qui nous emprisonne afin que nous puissions apercevoir le ciel. ».

Le rocher se déplaça assez pour qu'il puisse apercevoir le ciel ». Il mentionna ensuite le reste du hadith.[1]

55) 'Aisha (qu'Allah l'agréé) a rapporté :

« J'ai rêvé que je me trouvais au Paradis et que j'entendais quelqu'un réciter le Coran. Je demandai :

« Qui est-ce ? »

Ils répondirent :

« Haritha Ibn Nu'man. »

Le Prophète (paix sur lui) dit alors :

« Voilà ce qu'est faire preuve de piété envers les parents. Il fut le meilleur des gens dans la piété envers sa mère. »[2]

56) D'après Makhul, une délégation d'Al-Ash'arin vint au Messager d'Allah (paix sur lui) qui leur demanda :

« Wahrah se trouve-t-il parmi vous ? »

Ils répondirent :

---

1   Rapporté par Al-Boukhari et Muslim.
2   Rapporté par Al-Boukhari et Muslim

« Oui. »

Il (paix sur lui) dit alors :

« Allah l'a fait entrer au Paradis en raison de sa piété envers sa mère qui fut polythéiste. Leur région fut attaquée, alors elle porta sa mère et fuit avec elle dans les sables chauds. Lorsque ses pieds brûlaient, elle s'asseyait, installait sa mère sur ses genoux et la protégeait du soleil. Après s'être reposée, elle portait sa mère à nouveau. »[1]

57) D'après 'Abd Al-Rahman Ibn Samurah (qu'Allah l'agrée), le Messager d'Allah (paix sur lui) sortit un jour vers eux alors qu'ils étaient assis dans la mosquée de Médine puis dit :

« J'ai vu un homme de ma communauté vers qui l'Ange de la Mort s'est rendu pour prendre son âme. Cependant, sa piété envers ses parents arriva et le repoussa. »[2]

---

1   Rapporté par Al-Khara'iti dans *Makarim Al-Akhlaq*.
2   Jugé faible par Al-Albani.

Chapitre 11 : La récompense de la dépense pour les parents

58) D'après Abu Al-Darda (qu'Allah l'agrée), 'Umar (qu'Allah l'agrée) a dit :

« Nous étions avec le Messager d'Allah (paix sur lui) sur une montagne, surplombant une plaine. J'aperçus un homme étonnamment jeune et dit :

« Quel bon jeune homme, si seulement il pouvait dépenser sa jeunesse dans le sentier d'Allah ! »

Le Messager d'Allah dit alors :

« Ô 'Umar, peut-être est-il déjà sur le sentier d'Allah sans que tu ne le saches ! »

Puis, le Prophète (paix sur lui) alla vers lui et l'interrogea :

« Ô jeune homme, prends-tu soin de quelqu'un ? »

Celui-ci répondit :

« De ma mère. »

Le Prophète (paix sur lui) dit :

« Prends bien soin d'elle, car le Paradis repose à ses pieds. »[1]

---

1   Rapporté par Al-Bayhaqi et d'autres. Les savants du hadith ont grandement divergé sur l'authenticité de sa chaîne de transmission, cependant ils se sont accordés sur le fait que le sens du hadith est correct.

59) D'après Muwaariq Al-ʿAjali (qu'Allah l'agrée), le Prophète (paix sur lui) demanda :

« **Connaissez-vous une dépense meilleure que celle faite dans le sentier d'Allah ?** »

Ils répondirent :

« **Allah et Son Messager savent mieux.** »

Il (paix sur lui) dit :

« **Ce qu'un fils dépense pour ses parents est meilleur.** »[1]

---

1   Ibn Mubarak, *Al-Birr wa Al-Silah*

Chapitre 12 : Ceux qui se sont démenés pour être bons envers leurs parents

60) 'Aisha a dit :

« Dans cette communauté, il y eut deux hommes parmi les Compagnons du Messager d'Allah (paix sur lui) qui furent les meilleurs envers leur mère : 'Uthman Ibn 'Affan et Harithah Ibn Nu'man. »

61) 'Uthman (qu'Allah l'agrée) a dit :

« J'étais incapable de regarder ma mère droit dans les yeux, même après avoir accepté l'Islam. »

62) Harithah (qu'Allah l'agrée) avait pour habitude d'épouiller la tête de sa mère et de la nourrir de ses mains. Il ne discutait jamais de ce qu'elle lui demandait, mais interrogeait plus tard ceux qui étaient avec elle : « Qu'a voulu dire ma mère ? »

63) Il est rapporté que chaque fois qu'Abu Hurayrah (qu'Allah l'agrée) quittait sa maison, il allait se tenir devant la porte de sa mère et disait :

« Paix sur toi ô ma mère, ainsi que la miséricorde et les bénédictions d'Allah. »

Ce à quoi elle répondait :

« Et sur toi la paix, ô mon fils, ainsi que la miséricorde et les bénédictions d'Allah. »

Il disait alors :

« Qu'Allah te bénisse comme tu m'as nourri alors que j'étais jeune. »

Elle répondait :

« Qu'Allah te bénisse pour ta bonté envers moi alors que je suis âgée. »

Il accomplissait la même chose à son retour.

64) Abu Umamah (qu'Allah l'agrée) a rapporté qu'Abu Hurayrah (qu'Allah l'agrée) avait pour habitude de porter sa mère aux toilettes et de l'installer, car elle était aveugle.

65) Ibn Sirin a dit :

« Je possédais un dattier d'une valeur de mille dirhams que j'ai déterré pour son tubercule. Les gens me dirent : « Tu as déterré ton précieux dattier pour un tubercule d'une valeur de deux dirhams. ». Je dis alors : « Ma mère me l'a demandé. Si elle m'avait demandé plus que cela, je l'aurais accompli. ». »

66) Sufyan Al-Thawri a dit :

« Ibn Al-Hanafiyyah avait pour habitude de laver les cheveux de sa mère avec du savon, de les peigner et de les teindre. »

67) Al-Zuhri rapporte que Hasan Ibn 'Ali (qu'Allah l'agrée) ne mangeait jamais avec sa mère alors qu'il était le meilleur de tous les gens envers elle. Lorsqu'il fut interrogé à ce sujet, il dit :

« Je crains, en mangeant en sa compagnie, de manger une chose sur laquelle elle a porté son regard sans que je ne le sache. En cela, j'aurais mal agi envers ma mère. ».

Dans une autre version, on rapporte qu'il a dit :

« Je crains que ma main prenne une chose avant qu'elle ne puisse la prendre. »

68) Isma'il Ibn 'Awn, rapporte qu'alors qu'Ibn Sirin était avec sa mère, un homme demanda :

« Que se passe-t-il avec Muhammad ? Est-il malade ? »

Les gens répondirent :

« Non. C'est ainsi qu'il se comporte lorsque sa mère se tient à ses côtés. »

69) Hisham rapporte que Hafsah [bint Sirin] avait pour habitude de prier pour Hudhayl et disait :

« Il épluchait la canne et la séchait en été afin qu'elle ne dégage aucune fumée. En hiver, il me visitait et s'asseyait derrière moi pendant que je priais. Il allumait un petit feu afin que la chaleur m'atteigne sans que la fumée ne m'affecte. Je lui disais : « Ô mon fils, rentre auprès de ta famille ce soir ». Il répondait : « Ô ma mère, je sais ce qu'ils veulent. ». Alors je le laissais et cela pouvait durer parfois jusqu'au matin.

Il m'envoyait du lait le matin et je lui disais : « Ô mon fils, tu sais bien que je ne bois pas la journée. ».

Il répondait : « Le meilleur lait est celui qui se trouvait dans le pis la veille, et je ne veux donner préférence à personne sur toi. Distribue-le à qui tu le souhaites. »

Puis, Hudhayl mourut. Je fus grandement attristée par sa disparition. Je ressentais une douleur brûlante dans ma poitrine qui ne voulait pas s'en aller.

Une nuit, je me suis levée pour prier et j'ai commencé à réciter la Sourate « Les Abeilles ». Lorsque j'atteignis le verset :

« Ce qui est auprès de vous périra et ce qui est auprès d'Allah demeurera. Nous attribuerons certainement une récompense aux patients, à la mesure du meilleur de ce qu'il faisait. »

La douleur que je ressentais disparut. »

70) Anas Ibn Nadr Al-Ahja'i rapporte qu'une nuit la mère d'Ibn Mas'ud (qu'Allah l'agrée) demanda de l'eau. Il sortit et rapporta de l'eau, mais la trouva endormie. Il demeura là avec l'eau jusqu'au matin.

71) On rapporte au sujet de Zabyan Ibn 'Ali Al-Thawri, qui était extrêmement bon envers sa mère, qu'une nuit, elle alla se coucher alors qu'elle était en colère contre lui. Il demeura debout, ne voulant ni la réveiller ni s'asseoir. Quand il s'épuisa, deux de ses esclaves vinrent et il s'appuya sur eux pour rester debout jusqu'au matin.

Il avait l'habitude de la prendre avec lui en se rendant à La Mecque. Durant une journée de canicule, il creusait un puit pour elle et lui rapportait un tapis en cuir sur lequel il versait de l'eau. Il lui disait ensuite : « Installe-toi ici et rafraichis-toi de cette eau. ».

72) Muhammad Ibn 'Umar rapporte que Muhammad Ibn 'Abd Al-Rahman Ibn Abi Al-Zinad était dévoué envers

sa mère. Son père l'appelait en disant « Ô Muhammad », mais il ne répondait pas avant de s'être précipité pour se tenir à sa tête. Son père lui demandait alors de faire une chose. Il ne discutait jamais, mais demandait plus tard à d'autres ce que son père avait dit.

73) On rapporte qu'une fois, la mère de 'Awn Ibn 'Abdullah l'appela et il répondit d'une voix forte. En raison de cela, il décida d'affranchir deux esclaves.

74) Bakr Ibn 'Abbas rapporte qu'il s'asseyait parfois dans les assemblées de Mansur. La mère de Mansur criait sur son fils. Elle était stricte et lui disait :

« Ô Mansur, Ibn Hubayrah souhaite que tu deviennes juge et tu refuses ? »

Il se tenait debout, la barbe sur sa poitrine, sans lever ses yeux vers elle.

75) Sufyan Ibn 'Uyaynah a dit :

« Un homme revint d'un voyage et trouva sa mère debout en prière. Il ne voulut pas s'asseoir alors que sa mère se tenait debout. Elle s'en rendit compte et allongea sa prière afin qu'il soit récompensé. »

76) Il nous est parvenu que lorsque le fils de 'Umar Ibn Dharr décéda, les gens lui dirent :

« Comment t'a-t-il traité ? »

Il répondit :

« Il ne marchait pas avec moi la journée sauf en étant derrière moi. La nuit, il marchait devant moi. Il ne dormait sur aucun endroit qui se trouvait au-dessus de moi. »

77) Mu'allai Ibn Ayyub rapporte qu'il a entendu Ma'mu dire :

« Je n'ai vu personne d'aussi dévoué à ses parents que Fadl Ibn Yahya Al-Barmaki. Il était si dévoué que Yahya avait toujours de l'eau tiède pour ses ablutions. Ils furent un jour ensemble en prison. Le gardien refusa de les laisser ramasser du bois durant une nuit froide. Lorsque Yahya partit se coucher, Fadl prit un petit récipient rempli d'eau et la tint près de la lampe. Il demeura debout ainsi jusqu'au matin. »

Une autre version que Ma'mun a rapportée raconte que le gardien se rendit compte qu'il utilisait la lampe pour réchauffer l'eau. Il décida alors la nuit suivante de leur interdire de garder la lampe allumée. Fadl pris le récipient remplit d'eau et l'installa près de lui dans son lit jusqu'à que l'eau devienne tiède au matin.

78) Ka'b Al-Ahbar (qu'Allah l'agrée) rapporte que trois personnes parmi les Bani Isra'il se réunirent et décidèrent de se confier le pire péché que chacun d'eux avait commis. Le premier des trois dit :

« Je ne me souviens pas d'un péché pire que celui-ci : chaque fois que de l'urine tombait sur nos vêtements, nous découpions la partie touchée. Une fois, l'urine toucha mon vêtement, mais je n'en découpai qu'une très petite partie. C'est le pire péché que j'ai commis. »

Le second dit :

« Je fus en compagnie d'un ami à moi lorsqu'un arbre

nous sépara. J'ai alors surgi de derrière lui ce qui apeura mon ami qui dit : « Allah est entre toi et moi. » »

Le troisième dit :

« Ma mère m'appela une fois depuis un endroit en direction du vent. Je répondis, mais elle ne m'entendit pas. Elle se mit en colère et me jeta des pierres. Je pris un bâton et vins m'installer devant elle afin qu'elle puisse me frapper avec. Elle prit peur et blessa son propre visage. Voilà le pire péché que j'ai commis. »

Chapitre 13 : Le péché de la désobéissance aux parents

———————◆———————

79) Abu Bakr (qu'Allah l'agrée) rapporte de son père que les péchés majeurs furent mentionnés devant le Prophète (paix sur lui) qui dit :

« D'associer des partenaires à Allah et de désobéir aux parents. »

Il était allongé et se mit en position assise puis dit :

« Écoutez bien : le faux témoignage également. »

Il répéta cela jusqu'à que nous souhaitions qu'il s'arrête.[1]

80) D'après Anas (qu'Allah l'agrée), le Messager d'Allah (paix sur lui) fut interrogé au sujet des péchés majeurs. Il dit :

« D'associer des partenaires à Allah, de tuer quelqu'un et de désobéir aux parents... »[2]

81) D'après Ibn 'Amr (qu'Allah l'agrée), le Prophète (paix sur lui) a dit :

« Les péchés majeurs sont d'associer des partenaires à Allah, de désobéir aux parents et de faire un faux serment. »[3]

———————

1   Rapporté par Al-Boukhari & Muslim
2   Rapporté par Al-Boukhari & Muslim
3   Rapporté par Al-Boukhari

Il est aussi rapporté qu'il (paix sur lui) a dit :

« Celui qui désobéit à ses parents, celui qui boit du vin régulièrement, celui qui rejette le destin et celui qui fait de faux serments n'entreront pas au Paradis. »[1]

82) D'après Ibn 'Umarah (qu'Allah l'agrée), le Prophète (paix sur lui) a dit :

« Il y a trois personnes qu'Allah ne regardera pas le Jour de la Résurrection : celui qui désobéit à ses parents, celui qui boit régulièrement du vin et celui qui rappelle les bienfaits qu'il a donnés. »[2]

83) D'après Abu Hurayrah (qu'Allah l'agrée), le Prophète (paix sur lui) a dit :

« Il y a quatre personnes qu'Allah ne laissera pas entrer au Paradis ni goûter aux plaisirs qu'il contient : celui qui boit du vin régulièrement, celui qui consomme l'usure, celui qui consomme les biens de l'orphelin injustement et celui qui se montre désobéissant envers ses parents. »[3]

84) D'après Zayd Ibn Arqam (qu'Allah l'agrée), le Messager d'Allah a dit :

« Celui dont les parents sont satisfaits de lui le matin, deux portes du Paradis s'ouvrent pour lui ce matin. Celui dont les parents sont satisfaits de lui le soir, deux portes du Paradis s'ouvrent pour lui ce soir. Celui dont les parents sont insatisfaits de lui le matin, deux portes du Feu s'ouvrent pour lui ce matin. Si cela concerne un seul pa-

---

1   *Musannaf Ibn Abi Shaybah*. Jugé faible par Haythami.
2   Rapporté par Al-Nasa'i, Ibn Hibban et d'autres. Jugé authentique par Al-Albani.
3   *Mustadrak Al-Hakim*. Jugé faible par Al-Dhahabi.

rent, alors une porte s'ouvrira. »

On lui demanda :

« Même s'ils sont injustes envers lui ? »

Il répondit :

« Même s'ils sont injustes. Même s'ils sont injustes. Même s'ils sont injustes. »[1]

84) 'Amr Ibn Murrah Al-Juhani (qu'Allah l'agrée) rapporte qu'un homme vint au Messager d'Allah (paix sur lui) et dit :

« Ô Messager d'Allah ! J'atteste qu'il n'y a de divinité digne d'adoration qu'Allah et que tu es le Messager d'Allah. J'accomplis mes cinq prières, je m'acquitte de l'aumône obligatoire et je jeûne durant Ramadan. »

Le Messager d'Allah dit :

« Quiconque meurt sur cela sera, le Jour de la Résurrection, avec les Prophètes, les Véridiques, les Martyrs et les Vertueux comme ces deux – il leva ces deux doigts – tant qu'il ne désobéit pas à ses parents. »[2]

85) D'après Abu Hurayrah (qu'Allah l'agrée), le Prophète (paix sur lui) monta sur la chaire et dit :

« Amine, Amine, Amine. ».

---

1   Rapporté par Al-Bayhaqi. Jugé inventé par Al-Albani.
2   *Al-Targhib wa Al-Tarhib*. Jugé authentique par Al-Albani.

Lorsqu'il en descendit, on lui demanda :

« Ô Messager d'Allah, tu es monté sur le minbar et tu as dit :

« Amine, Amine, Amine »

Il répondit :

« Jibril (paix sur lui) est venu me dire :

« Si le Ramadan vient sans que celui qui le passe ne soit pardonné, il entrera en Enfer et Allah le jettera loin. Dis « Amine ». »

Alors j'ai dit : « Amine »

Il dit ensuite :

« Ô Muhammad, celui dont l'un des parents ou dont les deux parents sont en vie sans qu'il ne les honore, puis meurt, entrera en Enfer et Allah le jettera loin. Dis « Amine ». »

Alors j'ai dit : « Amine »

Il dit ensuite :

« Si tu es mentionné en présence de quelqu'un sans qu'il ne demande que les bénédictions soient sur toi, puis meurt, il entrera en Enfer et Allah le jettera loin. Dis « Amine ». » Alors j'ai dit : « Amine » »[1]

---

1 Rapporté par Ibn Hibban. Jugé authentique par Al-Albani.

86) D'après Abu Tufayl, 'Ali (qu'Allah l'agrée) fut interrogé :

« Est-ce que le Messager d'Allah (paix sur lui) t'a donné une chose spéciale qu'il n'a donnée à personne d'autre ? »

Il répondit :

« Le Messager d'Allah ne nous a rien donné de spécial qu'il n'ait donné à personne d'autre en dehors de ce qui se trouve dans le fourreau de mon épée. »

Il sortit ensuite une feuille sur laquelle était inscrit :

« Qu'Allah maudisse celui qui sacrifie pour autre qu'Allah. Qu'Allah maudisse celui qui vole une borne géodésique. Qu'Allah maudisse celui qui est désobéissant envers ses parents. »[1]

87) D'après Abu Hurayrah, le Messager d'Allah (paix sur lui) a dit :

« Que son nez soit frotté dans la poussière ! Que son nez soit frotté dans la poussière ! »

On lui demanda :

« Celui de qui Ô Messager d'Allah ? »

Il (paix sur lui) répondit :

« Celui dont les parents sont auprès de lui, alors qu'ils ont atteint la vieillesse, que ce soit l'un deux ou les deux,

---

1 *Al-Adab Al-Mufrad*. Jugé authentique par Al-Albani.

et qu'il entre au Feu. »[1]

88) D'après Ibn 'Abbas, le Prophète (paix sur lui) a dit :

« Maudit soit celui qui maltraite son père. Maudit soit celui qui maltraite sa mère. »[2]

89) D'après Abu Hurayrah, le Messager d'Allah (paix sur lui) a dit :

« Allah maudit sept de ses créatures au-dessus des sept cieux : maudit est celui qui désobéit à ses parents… »[3]

90) D'après Abu Hurayrah, le Messager d'Allah (paix sur lui) a dit :

« Allah n'accepte pas la prière de celui dont les parents sont en colère contre lui, à moins qu'ils ne soient injustes envers lui. »[4]

91) D'après Anas (qu'Allah l'agrée), le Messager d'Allah (paix sur lui) a dit :

« Quiconque satisfait ses parents satisfait Allah. Quiconque rend ses parents mécontents aura rendu Allah mécontent. »[5]

92) D'après 'Aisha (qu'Allah l'agréé), le Messager d'Allah (paix sur lui) a dit :

---

1   *Al-Adab Al-Mufrad*. Voir également Muslim avec une légère variation.
2   Rapporté par Ahmad. Jugé authentique par Al-Albani.
3   *Al-Mustadrak Al-Hakim.*
4   *Mu'jam Al-Awsat*. Jugé très faible par Al-Albani.
5   Ibn Najjar, *Jami' Al-Ahadith*. Jugé faible par Al-Albani.

« Allah Tout-Puissant a dit : « Faites ce que vous voulez, car Je vous ai pardonné » et Il a dit à celui qui est bon envers ses parents : « Fais ce que tu veux, car Je te pardonnerais. » »[1]

93) D'après Abu Bakr (qu'Allah l'agrée), le Messager d'Allah a dit :

« Allah retarde tous les péchés au Jour de la Résurrection sauf la désobéissance aux parents pour laquelle il punit son auteur dans ce monde. »[2]

94) D'après Anas (qu'Allah l'agrée), le Prophète (paix sur lui) a dit :

« Allah Tout-Puissant a révélé à Moussa Ibn 'Imran (paix sur lui) :

« Ô Moussa, les mots de celui qui est désobéissant envers ses parents sont très sérieux à Mes yeux ».

Les gens demandèrent :

« Ô Moussa, de quels mots s'agit-il ? ».

Il répondit :

« Lorsqu'une personne dit à ses parents : « Je ne réponds pas à votre appel. » »[3]

Un sage a dit :

---

1   *Jami' Al-Ahadith.*
2   Rapporté par Al-Bayhaqi. Jugé faible par Al-Albani.
3   Note de la traduction : la source de ce hadith n'a pas été trouvée

« Ne te lie pas d'amitié avec celui qui est désobéissant envers ses parents, car il ne sera jamais bon envers toi, étant donné qu'il n'a pas été bon envers ceux qui ont un droit plus grand que toi. »

Chapitre 14 : Le malheur de celui qui est désobéissant envers ses parents

95) 'Abdullah Ibn 'Awf (qu'Allah l'agrée) rapporte :

« Un homme s'adressa un jour au Prophète (paix sur lui) :

« Ô Messager d'Allah, un jeune homme est en train de mourir. Les gens l'invitent à prononcer l'attestation de foi, mais il en est incapable. »

Le Prophète (paix sur lui) demanda :

« Ne l'a-t-il pas prononcé durant sa vie ? »

On lui répondit que si. Alors le Prophète (paix sur lui) s'est levé et nous nous sommes levés avec lui. Nous sommes partis en direction de la maison du jeune homme. Le Messager d'Allah l'invita à prononcer l'attestation de foi, mais l'homme expliqua qu'il était incapable de le faire, car les mots ne pouvaient pas sortir de sa bouche.

Le Prophète (paix sur lui) lui demanda :

« Pourquoi ? »

Il répondit :

« Car j'ai été désobéissant envers ma mère. »

Le Prophète (paix sur lui) demanda si elle était toujours en vie et le jeune homme répondit par l'affirmative.

Il appela alors la mère du mourant et lui dit :

« Est-ce ton fils ? »

Elle confirma qu'il s'agissait de son fils.

Il lui posa ensuite une question :

« Dis-moi, si nous menacions de jeter ton fils dans un feu déchaîné, voudrais-tu qu'il soit pardonné ? »

La femme répondit qu'elle le souhaiterait sans hésitation.

Le Prophète (paix sur lui) lui dit alors :

« Si c'est le cas, déclare, faisant d'Allah et de nous tes témoins, que tu es maintenant satisfaite de lui ! »

La femme fit sa déclaration sans hésiter :

« Ô Allah, Toi et Ton Messager soyez témoins que Je suis satisfaite de mon fils. »

Le Prophète (paix sur lui) se tourna vers le mourant et lui demanda de réciter l'attestation de foi, ce qu'il fit. Voyant cela, le Prophète (paix sur lui) dit :

« Louanges à Allah qui a sauvé cet homme du feu de l'Enfer par ma cause. »[1]

96) Mâlik Ibn Dinâr rapporte :

« J'étais en train d'accomplir la circumambulation au-

---

[1]   Rapporté par Al-Bayhaqi. Jugé très faible par Al-Albani.

tour de la Ka'bah et je fus impressionné par le grand nombre de ceux faisant le Hajj et la 'Umrah. Je me dis :

« Je me demande qui a été agréé afin que je le félicite et qui a été rejeté afin que je le console. »

Cette nuit, je fis un rêve dans lequel quelqu'un disait :

« Mâlik Ibn Dinâr interroge à propos de ceux accomplissant le Hajj et la 'Umrah ? Allah leur a tous pardonné, le jeune et l'âgé, homme et femme, noir et blanc, à l'exception de celui contre lequel Allah est en colère, dont il a rejeté le Hajj et qu'il a renvoyé à son visage. »

J'ai passé une nuit que seul Allah connaît, craignant d'être cet homme.

La nuit suivante, je fis le même rêve sauf qu'il me fut dit :

« Tu n'es pas cet homme. Il s'agit d'un homme du Khorasan, de la ville de Balkh. Son nom est Muhammad Ibn Harun Balkhi. »

Au matin, je me rendis chez les tribus du Khorasan demandant :

« Y'a-t-il un homme du nom de Muhammad ibn Harun parmi vous ? »

Ils répondirent :

« Bravo, bravo ! Tu demandes un homme dont il n'y a pas de plus grand dévot, de plus ascète et de plus savant dans tout le Khorasan ! »

Je fus surpris par les mots élogieux qu'ils prononçaient à son égard comparé à ce que j'avais vu en rêve. Je dis :

« Présentez-le-moi. »

Ils dirent :

« Il a jeûné chaque jour durant les quarante dernières années et a prié toutes les nuits. Il ne demeure que dans les endroits déserts. Nous pensons que tu le trouveras dans les quartiers déserts de La Mecque. »

Je partis à sa recherche dans les quartiers déserts jusqu'à ce que je tombe sur lui, en train de prier derrière un mur. Sa main droite était accrochée à son cou et il l'avait attachée à ses pieds avec deux grandes sangles. Il s'apprêtait à rentrer en inclinaison et en prosternation. Lorsqu'il entendit mes bruits de pas, il dit :

« Qui est là ? »

Je répondis :

« Mâlik Ibn Dinâr. »

Il dit :

« Ô Mâlik, qu'est-ce qui t'amène ? Si tu as vu un rêve alors raconte-le-moi. »

Je dis :

« J'ai honte de te le raconter. »

Il dit :

« Tu dois le faire. »

Alors je me mis à lui raconter. Il pleura pendant un long moment. Il dit ensuite :

« J'étais un homme qui buvait. Un jour, j'ai bu avec un ami à moi jusqu'à devenir ivre et perdre la raison. Je revins chez moi et en entrant je vis ma mère allumer un four que nous possédions. Lorsqu'elle me vit tituber à cause de l'ivresse, elle me nourrit et me dit :

« Il s'agit du dernier jour de Sha'ban et de la première nuit de Ramadan. Les gens vont jeûner ce matin alors que toi tu es ivre ! N'as-tu pas honte d'Allah ? »

Je levai ma main et la giflai.

Elle dit :

« Tu es un pitoyable misérable ! »

Ces propos me mirent en colère et, dans mon ivresse, je l'ai porté puis l'ai jeté dans le four.

Lorsque ma femme vit cela, elle me poussa dans une chambre et condamna la porte.

Durant la dernière partie de la nuit, lorsque je devins sobre, j'appelai ma femme pour qu'elle ouvre la porte. Elle répondit de manière brutale.

Je dis : « Pourquoi te montres-tu grossière envers moi ? »

Elle dit :

« Tu ne mérites aucune gentillesse. »

Je dis :

« Pourquoi ? »

Elle dit :

« Tu as tué ta mère ! Tu l'as jeté dans le four et elle est morte brûlée vive. »

Je sortis et me rendis au four où elle reposait telle un morceau de pain brûlé. Je sortis et donna tous mes biens en aumône. J'affranchis tous mes esclaves. Durant quarante ans, j'ai jeûné le jour et prié toute la nuit. J'ai accompli le Hajj chaque année et chaque année un pieu comme toi voit ce rêve. »

J'ai jeté de la poussière à son visage et lui ai dit :

« Ô toi le misérable ! Tu vas brûler la terre entière et ceux qui sont sur elle avec ton feu. »

Je me suis éloigné jusqu'à atteindre une distance où je pouvais l'entendre sans le voir. Il leva ses mains au ciel et dit :

« Ô Celui qui ôte la tristesse et l'accablement ! Celui qui répond à l'appel des catastrophés. Je cherche refuge auprès de Ta satisfaction contre Ton mécontentement et auprès de Ta protection contre Ton châtiment. Ne tranche pas mon espoir et ne sois pas déçu de ma prière. »

Je rentrai chez moi et m'endormis. Durant la nuit, je vis quelqu'un dire :

« Ô Mâlik. Ne fais pas désespérer les gens de la miséricorde d'Allah. Allah, dans l'assemblée suprême, a regardé Muhammad Ibn Harun et a accepté son invocation. Retourne vers lui et dis-lui :

« Allah va réunir toute la création le Jour de la résurrection et prendre revanche pour l'animal sans corne contre celui avec des cornes. Il vous réunira toi et ta mère et décidera en sa faveur contre toi, te fera goûter au Feu puis t'offrira à ta mère. »

Chapitre 15 : Les différentes façons de désobéir aux parents

97) 'Abdullah Ibn 'Umar (qu'Allah l'agrée) a dit :

« Faire pleurer tes parents est de la désobéissance. »

98) 'Umar Ibn Zubayr a dit :

« Celui qui fixe ses parents du regard n'aura pas fait preuve de piété envers eux. »

99) Muhammad Ibn Sirin a dit :

« Celui qui marche devant son père lui aura désobéi, à moins qu'il ne le fasse pour ôter quelque chose de nuisible sur le chemin. Celui qui appelle son père par son nom lui aura désobéi. Il se doit de dire : « Ô mon père ! » »

100) Mujahid a dit :

« Le fils ne doit pas repousser la main de son père lorsque celui-ci le frappe. Celui qui fixe ses parents du regard n'aura pas fait preuve de piété envers eux. Celui qui leur rapporte quelque chose qui les chagrine leur aura désobéi. »

101) Al-Hasan Al-Basri a dit :

« La pire des offenses est lorsque l'homme amène son père devant le gouverneur. »

102) Farqad a dit :

« J'ai consulté certains livres. Celui qui fixe ses parents du regard n'aura pas fait preuve de piété envers eux. Prendre soin d'eux est une adoration. Le fils ne doit jamais marcher devant le père et ne doit pas parler lorsqu'il est présent. Il ne doit pas marcher à leur droite ou leur gauche à moins qu'ils ne l'appellent et qu'il réponde, ou qu'ils lui donnent un ordre et qu'il obéisse. Plutôt, il doit marcher derrière eux, tel un esclave humble. »

103) Yazid Ibn Abi Habib a dit :

« Utiliser des preuves contre les parents est de la désobéissance (c'est-à-dire avoir raison dans une dispute) »

104) Ka'b Ibn Ahbar fut interrogé à propos de la désobéissance envers les parents. Il répondit :

« Si ton père te demande de faire quelque chose et que tu n'obéis pas, alors tu leur auras désobéi complètement. »

Chapitre 16 : L'invocation des parents en faveur des enfants est exaucée

105) 'Abdullah Ibn Mas'ud (qu'Allah l'agrée) a dit :

« Trois personnes dont l'invocation n'est pas rejetée : le parent, l'opprimé et le voyageur. »[1]

106) Al-Hasan disait :

« L'invocation des parents produit richesse et enfants. »[2]

107) Al-Hasan fut interrogé au sujet de l'invocation du parent pour l'enfant. Il dit :

« (C'est un moyen de) salut »

108) Mujahid a dit :

« Trois personnes dont l'appel n'est pas bloqué par Allah Tout-Puissant : l'invocation de l'opprimé, l'invocation du parent pour son enfant et l'attestation qu'il n'y a nulle divinité digne d'adoration en dehors d'Allah. »

Il a également dit :

« L'invocation du parent n'est pas bloquée par Allah Tout-Puissant. »

109) 'Abd Al-Rahman Ibn Ahmad Ibn Hanbal a dit :

---

1   Rapporté par Ibn Abi Shaybah dans son *Mussanaf*
2   Ibn Mubarak, *Al-Birr wa Al-Silah*

« J'ai entendu mon père dire :

« Une femme dit à Makhlad Ibn Al-Husayn :

« Mon fils a été fait prisonnier par les Romains. Je n'ai rien d'autre qu'une petite maison que je ne peux vendre. S'il te plaît, présente-moi quelqu'un qui peut payer sa rançon, car mon esprit ne trouve aucune paix et je reste éveillée nuit et jour. »

Le shaykh baissa sa tête pendant un moment puis invoqua.

Après un certain temps, la femme revint avec son fils et commença à invoquer pour lui puis dit :

« Mon fils va vous raconter toute l'histoire. »

Celui-ci raconta :

« Je me suis retrouvé au sein d'un groupe de prisonniers capturés par l'un des rois de Rome. Alors que nous retournions du travail après le coucher du soleil, les chaînes à mes pieds se sont ouvertes et sont tombées sur le sol. »

Il précisa la date et le moment où cela est arrivé et cela correspondait au moment où sa mère était venue voir le shaykh et qu'il avait invoqué Allah pour lui.

Le gardien des prisonniers se leva et cria :

« Tu as brisé les chaînes ! »

Je répondis :

« Non, elles sont tombées. »

Il fut troublé et s'adressa à son ami. Ils firent ensuite appel à un forgeron qui m'enchaîna à nouveau. Après avoir fait quelques pas, les chaînes tombèrent encore. Ils devinrent tous perplexes et appelèrent leurs prêtres qui m'interrogèrent :

« As-tu une mère ? »

Je répondis : « Oui. »

Ils dirent :

« Son invocation a été exaucée. Nous devons maintenant te libérer sans t'enchaîner. Nous allons te ramener du côté des Musulmans. ».

Chapitre 17 : L'invocation des parents contre les enfants est exaucée

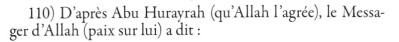

110) D'après Abu Hurayrah (qu'Allah l'agrée), le Messager d'Allah (paix sur lui) a dit :

« **Trois invocations sont exaucées sans aucun doute : l'invocation de l'opprimé, l'invocation du voyageur et l'invocation des parents contre leur enfant.** »[1]

111) Il (qu'Allah l'agrée) rapporte également que le Prophète (paix sur lui) a dit :

« **Jurayj était un moine qui s'était reclus dans son monastère. Un berger avait l'habitude de faire paître ses moutons au pied de ce monastère. Une femme de la ville fréquentait ce berger.**

Un jour, la mère de Jurayj vint et l'appela alors qu'il priait. Il se dit en lui-même : « Ô mon Seigneur, ma mère ou ma prière. ». Il donna préférence à sa prière. Elle l'appela en criant une seconde puis une troisième fois sans qu'il ne réponde. Elle dit ensuite :

« Qu'Allah ne te fasse pas mourir avant que tu ne regardes les visages des prostituées ».

Puis, elle s'en alla.

Cette femme tomba enceinte et accoucha d'un enfant. Les gens lui demandèrent : « De qui est cet enfant ? ».

---

1   Rapporté par Al-Tirmidhi qui juge le hadith bon.

Elle répondit :

« Il est de Jurayj. ».

Ils détruisirent son monastère et l'attachèrent. Alors qu'ils l'emmenèrent, des prostituées passèrent. Il sourit alors qu'elles le regardaient. Il dit ensuite au roi :

« Que prétend cette femme ? »

Il répondit :

« Elle prétend que son fils est de toi. »

Il s'approcha de l'enfant et lui demanda :

« Qui est ton père ? »

L'enfant répondit :

« Le berger. »

À l'écoute de ces mots, le roi dit :

« Nous allons reconstruire ton monastère en or. »

Jurayj dit :

« Non, reconstruisez-le seulement tel qu'il était. »

Le roi lui demanda ensuite :

« Qu'est-ce qui t'a fait sourire ? »

Il répondit : « L'invocation de ma mère m'a rattrapée. »

puis il leur raconta toute l'histoire. »[1]

---

1   Rapporté par Al-Boukhari.

Chapitre 18 : Celui qui renie ses parents ou ses enfants

112) Anas Al-Juhani rapporte d'après son père que le Prophète (paix sur lui) a dit :

« **Allah le Très-Haut ne parlera pas à certains serviteurs le Jour de la Résurrection, ni ne les purifiera ni ne les regardera.** »

On lui demanda :

« **Qui sont ces gens Ô Messager d'Allah ?** »

Il (paix sur lui) répondit :

« **Celui qui renie ses parents, se détournant d'eux, celui qui renie son enfant et celui envers qui des gens se sont montrés bons et qui s'est montré ingrat et qui les a reniés.** »[1]

113) D'après Abu Hurayrah (qu'Allah l'agrée), le Messager d'Allah (paix sur lui) a dit :

« **Quiconque rejette son enfant qui le regarde, Allah se dissimulera à lui et le couvrira de honte devant les premières et les dernières générations.** »[2]

---

1   Rapporté par Ahmad. Jugé faible par Al-Albani.
2   Rapporté par Abu Dawud.

Chapitre 19 : Le péché de celui qui s'attribue à un autre que son père

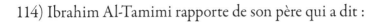

114) Ibrahim Al-Tamimi rapporte de son père qui a dit :

« 'Ali (qu'Allah l'agrée) nous délivra un sermon et dit :

« Quiconque prétend que nous récitons autre chose que le Livre d'Allah et ce document – un document dans lequel étaient enregistrés l'âge des chameaux ainsi que les problèmes liés à leurs blessures – a menti. »

Il dit également que le Messager d'Allah (paix sur lui) avait dit :

« Quiconque s'attribue à un autre que son père ou ses maîtres, sur lui est la malédiction d'Allah, des anges et de tous les gens et Allah n'acceptera pas ses œuvres surérogatoires ni obligatoires. » »[1]

115) Ibn 'Uthman Al-Hindi rapporte qu'il a entendu S'ad dire :

« Mes oreilles ont entendu et mon cœur s'est souvenu des mots suivants de Muhammad (paix sur lui) :

« Quiconque s'attribue, en toute connaissance, à un autre que son père, le Paradis lui est interdit. »

Il a dit :

---

1   Rapporté par Al-Boukhari

« J'ai rencontré Abu Bakr (qu'Allah l'agrée) et il lui ai raconté cela. ». Il me répondit : « Je l'ai aussi entendu du Messager d'Allah (paix sur lui). »[1]

116) D'après Abu Hurayrah (qu'Allah l'agrée), le Prophète (paix sur lui) a dit :

« Ne vous détournez pas de vos pères. Quiconque se détourne de son père aura mécru. »[2]

1 Rapporté par Al-Boukhari & Muslim
2 Rapporté par Al-Boukhari & Muslim

Chapitre 20 : Le péché de celui qui devient la cause de la maltraitance de ses parents

117) D'après 'Abdullah Ibn 'Umar, le Messager d'Allah (paix sur lui) a dit :

« L'un des pires péchés consiste à maudire ses parents. »

On lui demanda :

« Comment quelqu'un peut-il maudire ses parents ? »

Il (paix sur lui) répondit :

« Il maltraite le père d'un autre qui, en retour, maltraite son père et sa mère. »[1]

Il rapporte également que le Prophète (paix sur lui) a dit :

« Le pire des péchés majeurs est de maudire ses parents. »

On demanda :

« Comment quelqu'un peut-il maudire ses parents ? »

Il (paix sur lui) répondit :

« Il maudit le père d'un autre qui, en retour, maudit

---

1   Rapporté par Al-Boukhari & Muslim

son père et sa mère. »[1]

---

1   Rapporté par Abu Dawud. Jugé « hasan sahih » par Al-Tirmidhi.

Chapitre 21 : La permission pour le père de récupérer son cadeau

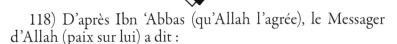

118) D'après Ibn 'Abbas (qu'Allah l'agrée), le Messager d'Allah (paix sur lui) a dit :

« Il n'est pas permis, pour celui qui croit en Allah et au Jour Dernier, de revenir sur son cadeau, à l'exception du père. »[1]

119) D'après Ibn 'Umar et Ibn 'Abbas (qu'Allah les agrée), le Messager d'Allah (paix sur lui) a dit :

« Il n'est pas permis à un homme d'offrir quelque chose puis de se rétracter, à l'exception de ce que le père offre à son fils. »[2]

---

1   Ibn 'Abd Al-Barr, *Al-Tamhid*.

2   Rapporté par Al-Tirmidhi qui l'a jugé « hasan sahih ».

Chapitre 22 : Maintenir les relations avec les parents après leur mort

120) D'après Abu Hurayrah (qu'Allah l'agrée), le Messager d'Allah a dit :

« Lorsque le fils d'Adam meurt, toutes ses actions cessent à l'exception de trois : une aumône continue, un savoir diffusé dont les gens tirent profit et un enfant pieux qui invoque en sa faveur. »[1]

121) D'après Anas Ibn Malik (qu'Allah l'agrée), le Messager d'Allah a dit :

« La récompense de sept choses se poursuit après qu'une personne meurt, pendant qu'elle se trouve dans la tombe : un savoir qu'elle a enseigné, une rivière qu'elle a faite, un puit qu'elle a creusé, un arbre qu'elle a planté, une mosquée qu'elle a construite, une copie du Coran qu'elle a laissé derrière elle ou un enfant qui implore le pardon pour elle. »[2]

122) Suddi Ibn 'Ubayd rapporte de son père qu'un homme a dit :

« Ô Messager d'Allah, existe-t-il une manière pour moi d'être bon envers mes parents après leur mort ? »

Il (paix sur lui) répondit :

---

1 Rapporté par Muslim
2 Rapporté par Al-Bayhaqi. Jugé bon par Al-Albani

« Oui. Il existe quatre façons. Invoquer et demander le pardon pour eux, remplir leurs promesses, honorer leurs amis et maintenir les liens avec la famille avec laquelle tu es lié à travers eux. »[1]

123) D'après Abu Hurayrah (qu'Allah l'agrée), le Messager d'Allah (paix sur lui) a dit :

« Allah élèvera le rang d'un serviteur pieux au Paradis et celui-ci dira :

« Ô mon Seigneur, comment ai-je obtenu cela ? »

Allah répondra :

« En raison de ton enfant qui a imploré le pardon pour toi. » »[2]

124) D'après Mu'adh Ibn Jabal (qu'Allah l'agrée), Le Messager d'Allah (paix sur lui) a dit :

« Celui qui lit le Coran et le met en pratique, Allah couronnera ses parents le Jour de la Résurrection, d'une couronne qui brillera plus fort que le soleil de ce monde. Que pensez-vous alors de celui qui aura mis cela en pratique ? »[3]

125) D'après Abu Kahil (qu'Allah l'agrée), le Messager d'Allah (paix sur lui) a dit :

« Celui qui est bon envers ses parents pendant qu'ils

---

1   Rapporté par Abu Dawud. Ibn Al-Arabi Al-Maliki juge la chaîne de transmission bonne.

2   Rapporté par Ahmad. Jugé authentique par Ibn Kathir.

3   Rapporté par Abu Dawud. Jugé faible par Al-Albani.

sont en vie et après leur mort, Allah le rendra certainement satisfait le Jour de la Résurrection. »

Nous avons demandé :

« Comment peut-il être bon envers eux après leur mort ? »

Il (paix sur lui) répondit :

« Il implore le pardon pour eux et ne maltraite le père de personne qui aurait ensuite maltraité son père. »[1]

126) D'après Ibn 'Abbas (qu'Allah l'agrée), le Messager d'Allah (paix sur lui) a dit :

« Le cadeau des vivants pour les morts est d'implorer le pardon pour eux. Allah apporte à ceux qui sont dans la tombe de la part de ceux dans ce monde, des présents aussi immenses que des montagnes. »[2]

127) 'Amr Ibn Shu'ayb rapporte de son père qui rapporte de son grand-père que le Prophète (paix sur lui) a dit :

« Il n'y a aucun mal à ce que vous donniez une aumône au nom de vos parents s'ils étaient musulmans, de manière à ce que vos parents obtiennent la récompense sans que la vôtre ne soit réduite d'aucune façon. »[3]

128) Ibn 'Abbas (qu'Allah l'agrée) rapporte que la mère de Sa'd Ibn 'Ubadah (qu'Allah l'agrée) mourut alors qu'il était absent. Il dit :

---

1 Rapporté par Tabarani. Jugé « munkar » par Al-Albani.
2 Rapporté par Al-Bayhaqi. Jugé « munkar jiddan » par Al-Albani.
3 Rapporté par Al-Daylami. Jugé faible par Al-Albani.

« Ô Messager d'Allah, ma mère est morte en mon absence. Lui sera-t-il bénéfique que je donne une aumône en son nom ? »

Il (paix sur lui) répondit :

« Oui »

Sa'd dit :

« Je te fais témoin du fait que je donne ce jardin qui est à moi en aumône en son nom. »[1]

129) D'après Abu Hurayrah (qu'Allah l'agrée), un homme a dit au Prophète (paix sur lui) :

« Ma mère est décédée. Recevra-t-elle la récompense d'une aumône que je ferais en son nom ? »

Il (paix sur lui) répondit :

« Oui. »

130) D'après Ibn 'Abbas (qu'Allah l'agrée), le Messager d'Allah (paix sur lui) a dit :

« Quiconque accomplit le Hajj au nom de ses parents ou acquitte une de leurs dettes sera ressuscité parmi les pieux (Al-Abrar) le Jour de la Résurrection. »[2]

---

1   Rapporté par Ahmad. Jugé authentique par Al-Albani.
2   Rapporté par Tabarani. La chaîne de transmission est jugée « munkar » par Al-Dhahabi

Chapitre 23 : Maintenir les relations avec leurs proches et leurs amis

131) On rapporte qu'un bédouin passa près d'Ibn 'Umar (qu'Allah l'agrée) durant un voyage. Ce bédouin fut un ami de 'Umar (qu'Allah l'agrée). Le bédouin dit :

« Ne serais-tu pas untel fil de untel ? »

Il répondit :

« Je le suis. »

Ibn 'Umar (qu'Allah l'agrée) demanda ensuite qu'on lui donne l'âne qu'il avait emporté avec lui. Il retira également son turban et le lui donna. Certaines personnes présentes l'interrogèrent :

« Est-ce qu'un dirham ne lui aurait pas été suffisant ? »

Ibn 'Umar répondit :

« Le Prophète (paix sur lui) a dit :

« Prenez soin des proches de votre père. Ne coupez pas les relations avec eux sinon Allah éteindra votre lumière. »[1]

132) Nafi' rapporte qu'Abu Bardah se rendit à Médine. Ibn 'Umar le rejoignit, lui souhaita la bienvenue et lui demanda quelque chose. Lorsqu'il voulut se lever, il dit :

---

1   Rapporté par Al-Boukhari, *Al-Adab Al-Mufrad*. Jugé bon par Haythami.

« J'ai entendu le Messager d'Allah (paix sur lui) dire :

« Le meilleur moyen d'être bon envers les parents consiste à être bon envers ton père après sa mort en maintenant des relations avec ceux qui furent proches de lui. »

Or, mon père fut proche du tien. Je souhaite donc me montrer bon envers lui en maintenant les relations avec toi. »[1]

133) 'Umar Ibn Al-Khattab (qu'Allah l'agrée) a dit :

« Quiconque souhaite se montrer bon envers son père alors qu'il se trouve dans sa tombe, qu'il conserve des relations avec les frères de son père après son décès. »

---

1 Voir Muslim, Abu Dawud et Al-Tirmidhi pour une version similaire.

Chapitre 24 : Visiter les tombes des parents

134) D'après Abu Hurayrah (qu'Allah l'agrée), **le Prophète (paix sur lui) visita la tombe de sa mère et pleura tellement que ceux autour de lui pleurèrent également. Il (paix sur lui) dit ensuite :**

« J'ai demandé la permission à mon Seigneur de visiter la tombe de ma mère et il me l'a donné. J'ai demandé la permission d'implorer le pardon pour elle, mais il me l'a refusé. »[1]

135) 'Aisha (qu'Allah l'agréé) rapporte de son père qu'il a entendu le Prophète (paix sur lui) dire :

« Celui qui visite les tombes de ses parents ou celle de l'un d'eux le vendredi et récite la sourate Yasin sera pardonné. »[2]

136) D'après 'Abdullah Ibn 'Umar (qu'Allah l'agrée), le Messager d'Allah (paix sur lui) a dit :

« Quiconque visite la tombe de sa mère ou la tombe de l'un de ses proches, obtiendra la récompense d'un Hajj accepté. Quiconque les visite fréquemment jusqu'à leur mort, les Anges visiteront sa tombe. »[3]

137) 'Uthman Ibn Sawdah, dont la mère fut une femme pieuse appelée Rahibah, rapporte que lorsqu'elle fut sur son lit de mort, elle leva sa tête vers le ciel et dit :

---

1 Rapporté par Muslim
2 Ibn Jawzi l'a inclut dans son *Al-Mawdu'at*. Ibn 'Adi a jugé la chaîne « batil » et sans origine.
3 Rapporté par Ibn Hibban.

« Ô ma provision et mon trésor au moment de ma mort, ne me laissez pas seule dans ma tombe. »

Il dit :

« Puis elle mourut et j'allais régulièrement visiter sa tombe, chaque vendredi, invoquant pour qu'elle soit pardonnée et en faveur des habitants de ce cimetière. Une nuit, je la vis en rêve et lui demandai :

« Ô mère, comment vas-tu ? »

Elle répondit :

« Ô mon fils, la mort est une calamité rude, mais, louanges à Allah, je me trouve dans un bel endroit, couchée sur du basilic avec des coussins de soie et de brocart, jusqu'au Jour de la Résurrection. »

Je dis :

« As-tu besoin de quoi que ce soit ? »

Elle dit :

« Oui. Ne stoppe pas tes visites ni tes invocations en notre faveur. Je reçois de bonnes annonces le vendredi lorsque tu viens. On me dit :

« Ô Rahibah, voici ton fils qui est venu de chez lui pour te visiter. »

Cela me rend heureuse et cela rend heureux les autres défunts autour de moi. » »[1]

Comme sont beaux les mots du poète :

Visite les tombes de tes parents et tiens-toi là...
Comme si je pouvais déjà te voir ici
Si c'était toi qui te trouvais à cette place et qu'ils étaient vivants...
Ils viendraient te visiter même s'ils devaient ramper
Ils t'ont mis sous l'ombre de leurs soins aussi longtemps qu'ils ont pu...
Ils te protégeaient d'un amour issu de leurs entrailles
À la vue du moindre signe de maladie chez toi...
Ils furent saisis d'angoisse et d'inquiétude
Leurs larmes coulaient à l'écoute du moindre de tes pleurs...
Ta douleur les a emplis de chagrin
Ils souhaitèrent tout le confort possible pour toi...
Que leurs pleines capacités auraient pu te donner
Tu les rejoindras demain ou plus tard que cela...
Tout comme ils ont rejoint leurs parents
Tes actions te seront présentées...
Tout comme leurs actes leur furent présentés
Bonne annonce à toi si tu as bien agi...
Et si tu t'es acquitté de leurs droits...
Si tu es resté debout la nuit à prier pour eux...
Et si tu t'es souvenu d'eux durant tes prières les plus longues
Si tu as lu le Coran autant que tu le pouvais...
Et que tu leur as offert cette lecture en cadeau
Si tu as dépensé de tes biens en leur nom...
Tout comme ils ont dépensé pour leurs parents
Souviens-toi donc de mon conseil...

1   *Sifah Al-Safwah*

Peut-être que tu connaîtras le succès en te montrant bon envers eux

138) Al-Fadl Ibn Mawaffaq a dit :

« J'avais pour habitude de beaucoup visiter la tombe de mon père. Une fois, j'ai assisté à un enterrement et je suis ensuite parti précipitamment sans visiter sa tombe. Cette nuit-là, je l'ai vu en rêve me disant :

« Ô mon fils, pourquoi n'es-tu pas venu à moi ? »

Je dis :

« Ô père, es-tu au courant de mes visites ? »

Il répondit :

« Oui par Allah. Lorsque tu viens, je peux te voir au moment où tu apparais depuis le pont, jusqu'à ce que tu arrives et que tu t'assieds près de moi. Puis, lorsque tu t'en vas, je peux te voir jusqu'à ce que tu traverses le pont. »[1]

---

1   *Al-Birr wa Al-Silah*

Chapitre 25 : La récompense du maintien des liens de parenté

139) D'après Anas (qu'Allah l'agrée), le Prophète (paix sur lui) a dit :

« Celui qui souhaite que sa vie soit allongée et que sa subsistance augmente, qu'il se rappelle d'Allah et maintienne les liens de parenté. »[1]

140) D'après 'Ali (qu'Allah l'agrée), le Messager d'Allah (paix sur lui) a dit :

« Quiconque souhaite qu'Allah allonge sa vie, élargisse sa subsistance et l'éloigne d'une mauvaise mort, qu'il se souvienne d'Allah et qu'il maintienne les liens de parenté. »[2]

141) 'Aisha (qu'Allah l'agrée) rapporte que le Messager d'Allah (paix sur lui) a dit :

« Maintenir les liens de parenté et être un bon voisin sont des moyens pour les foyers d'être vivants et pour la vie de s'allonger. »[3]

142) D'après Abu Umamah (qu'Allah l'agrée), le Messager d'Allah (paix sur lui) a dit :

« Les bonnes œuvres protègent leur auteur d'une

---

1 Rapporté par Ahmad. Jugé « hasan li ghayrihi » par Al-Albani.
2 Rapporté par Ahmad. Jugé authentique par Ahmad Shakir.
3 Mu'jam Tahir Al-Silfi. Ibn Hajar a dit que tous les rapporteurs de la chaîne sont dignes de confiance.

mauvaise mort, l'aumône donnée secrètement éteint la colère du Seigneur et maintenir les liens de parenté allonge la vie. »[1]

143) D'après Abu Hurayrah (qu'Allah l'agrée), le Messager d'Allah (paix sur lui) a dit :

« Les actes du fils d'Adam sont présentés à Allah la nuit de chaque jeudi et les actes de ceux qui coupent les liens de parenté ne seront pas acceptés. »[2]

144) D'après Abu Hurayrah (qu'Allah l'agrée), le Messager d'Allah (paix sur lui) a dit :

« Lorsqu'Allah a créé la Création, les liens de parenté se sont levés et ont dit :

« Je cherche protection auprès de Toi contre le fait d'être coupé. »

Allah dit :

« N'es-tu pas satisfait du fait que Je me relierais à celui qui se relie à toi et que Je couperais avec celui qui te coupe ? »

Lisez ce verset si vous le souhaitez :

« Si vous détournez, ne risquez-vous pas de semer la corruption sur terre et de rompre vos liens de parenté ? Ce sont ceux-là qu'Allah a maudits, a rendus sourds et a rendus leurs yeux aveugles. Ne méditent-ils pas sur le Co-

---

1   Tabarani. Al-Haythami juge la chaîne de transmission bonne
2   *Al-Adab Al-Mufrad*. Jugé bon par Al-Albani

ran ? Ou y a-t-il des cadenas sur leurs cœurs ? »[12]

145) 'Aisha (qu'Allah l'agréé) rapporte que le Messager d'Allah (paix sur lui) a dit :

« Les liens de parenté sont suspendus au Trône et disent :

« Quiconque me maintient, Allah le maintiendra à Lui et quiconque me coupe, Allah coupera avec lui. »[3]

146) D'après Abu Bakr (qu'Allah l'agréé), le Messager d'Allah (paix sur lui) a dit :

« Il n'y a pas de péché plus à même à ce qu'Allah punisse une personne dans ce monde, en plus de ce qu'il lui réserve dans l'Au-delà, que couper les liens de parenté et l'injustice. »[4]

147) Abu Awfa a dit :

« La miséricorde ne tombe pas sur un peuple au sein duquel une personne a coupé les liens de parenté. »[5]

148) Abu Hurayrah (qu'Allah l'agréé) rapporte :

« J'ai dit au Messager d'Allah (paix sur lui) :
« Ô Messager d'Allah, quand je te vois, mon âme se réjouit et mes yeux se rafraichissent. Informe-moi sur tout. »

---

1 Sourate 47 : Muhammad, versets 22-24
2 Rapporté par Al-Boukhari & Muslim
3 Rapporté par Al-Boukhari & Muslim
4 Rapporté par Abu Dawud. Jugé authentique par Al-Albani.
5 *Al-Adab Al-Mufrad*. Jugé faible par Al-Albani.

Il répondit :

« Tout a été créé à partir de l'eau. »

Je dis :

« Informe-moi au sujet d'une action qui, si je l'accomplis, me fera entrer au Paradis. »

Il répondit :

« Nourris les gens, diffuse la paix, maintiens les liens de parenté et prie la nuit lorsque les gens dorment. Tu entreras alors au Paradis en toute sécurité. »[1]

149) D'après Anas (qu'Allah l'agrée), le Prophète (paix sur lui) a dit :

« Un groupe de gens passera la nuit à boire, manger, jouer et se divertir et au matin ils seront transformés en singes et en porcs, puis seront engloutis dans la terre et écorchés. Au matin, les gens diront :

« La nuit dernière, cette famille et cette maison ont été englouties dans le sol. »

Des pierres, similaires à celles qui furent envoyées sur le peuple de Lot, seront envoyées sur certaines tribus et maisons parmi les leurs, parce qu'ils buvaient du vin, avec des chanteuses, consommaient l'usure et coupaient les liens de parenté. »[2]

---

1   Rapporté par Ahmad. Jugé authentique par Al-Albani

2   Ce hadith est rapporté par Abu Umamah Al-Bahili. On peut le trouver dans le *Mustadrak Al-Hakim*. Jugé faible par Al-Albani.

150) D'après Abu Bakr (qu'Allah l'agrée), le Prophète (paix sur lui) a dit :

« La bonne œuvre qui reçoit le plus vite sa récompense est le maintien des liens de parenté, au point qu'une famille peut être pauvre un jour puis voir ses biens augmenter et se multiplier alors qu'ils maintiennent de bonnes relations les uns avec les autres. »[1]

151) Sulayman Ibn Amir (qu'Allah l'agrée) rapporte qu'il a dit :

« Ô Messager d'Allah, mon père maintenait les liens de parenté, remplissait ses promesses et honorait ses invités. »

Il (paix sur lui) demanda :

« Est-ce que ton père est mort avant l'Islam ? »

Il répondit :

« Oui. »

Il (paix sur lui) dit alors :

« Cela ne lui sera d'aucun bénéfice, mais demeurera chez sa progéniture. Tu ne connaîtras plus jamais la honte, le mépris ou la pauvreté. »[2]

---

1   Rapporté par Tabarani, jugé « sahih li ghayrihi » par Al-Albani.
2   *Mustadrak Al-Hakim*. Jugé « ghareeb » par Ibn Hajar.

Nos autres éditions

100 Trésors de l'Islam : principes du Coran et de la Sunna pour une vie meilleure — Samir Doudouch

La Guérison des Âmes — Ibn Al-Jawzi

Les Bienfaits de l'Épreuve — Al 'Izz ibn 'Abd Al-Salam & Ibn Al-Qayyim

Le Réveil des Cœurs — Ibn Al-Jawzi

Tafsir Sourate Al-Fatiha — Ibn Al-Qayyim & d'autres

Le Livre de L'Amour — Ibn Taymiyya

Printed in Poland
by Amazon Fulfillment
Poland Sp. z o.o., Wrocław

76002532R00061